B4 $1⁰⁰

Patrick Modiano

Nadia Butaud

CULTURESFRANCE

1 bis, avenue de Villars 75007 Paris

www.culturesfrance.com

comm@culturesfrance.com

ISBN 978-2-35476-006-9

ÉDITIONS TEXTUEL

48, rue Vivienne 75002 Paris

www.editionstextuel.com

ISBN 978-2-84597-299-5

©CULTURESFRANCE/TEXTUEL, 2008

DIFFUSION VOLUMEN

CD AUT354760267

EAN 9782354760267

INA

4, avenue de l'Europe

94366 Bry-sur-Marne Cedex

www.ina.fr

℗ INA/CULTURESFRANCE/TEXTUEL, 2008

Une odeur d'éther

9   *La mémoire: «le filet de l'acrobate»*

26   *Vivre, c'est s'obstiner à achever un souvenir.*

Des aquariums

41   *Points de repère*

49   *Phosphorescence*

56   *Halls d'hôtel*

Kaléidoscope

67   *Un fond solide sous les sables mouvants.*

76   *L'art de la fugue*

87   Anthologie

125   Repères chronologiques

129   Bibliographie

Une odeur d'éther

«On dit que ce sont les odeurs qui ressuscitent le mieux le passé, et celle de l'éther avait toujours eu un curieux effet sur moi. Elle me semblait l'odeur même de mon enfance, mais comme elle était liée au sommeil et qu'elle effaçait aussi la douleur, les images qu'elle dévoilait se brouillaient aussitôt. C'était sans doute à cause de cela que j'avais, de mon enfance, un souvenir si confus. L'éther provoquait à la fois la mémoire et l'oubli.» [1]

La mémoire: «le filet de l'acrobate»

En 1969, à la publication de son deuxième roman, *La Ronde de nuit*, alors qu'on l'interrogeait déjà sur son intérêt pour l'Occupation, une période qu'il n'a pas vécue puisqu'il est né en 1945, Patrick Modiano répondait: «Cette période constitue pour moi le filet de l'acrobate.» [2]

Plus de trente ans et plus de trente romans et récits nous séparent de cette déclaration et il nous semble que cette métaphore ne concerne plus seulement une période particulière mais bien toute son utilisation du passé, de la mémoire. La mémoire de Modiano est, paradoxalement, attirée vers un passé qui précède sa naissance, les années 1940, mais elle trouve aussi de très nombreux échos dans ses années de jeunesse, dans son «vestiaire de l'enfance», pour reprendre le titre d'un de ses romans, [3] années d'enfance à entendre au sens propre, car elles concernent celui qui

---

1. *Accident nocturne*, Paris, Gallimard, coll. «Blanche», 2003; rééd. coll. «Folio», 2005, p. 104.
2. Entretien, *La Croix*, 9-11 novembre 1969.
3. *Vestiaire de l'enfance*, Paris, Gallimard, coll. «Blanche», 1989.

ne parle pas encore ou plus exactement n'écrit pas encore. Dans *Un pedigree* (2005), évoquant la période couverte par ce premier récit exclusivement autobiographique, l'auteur parle d'une «vie qui n'était pas la [sienne]», une vie qui s'achève par la rupture définitive avec le père et la rédaction de son premier manuscrit, celui de *La Place de l'Étoile*. Ainsi les années 1940, tout comme les années 1950 et 1960, constituent le «filet» de cet écrivain funambule, auteur d'*Un cirque passe*. Ceux qui font de lui un écrivain passéiste, un obsédé des années noires, un adepte de la mode rétro, laissent penser qu'il trébuche et oublient que le filet n'est qu'une sécurité qui, au pire ou au mieux peut-être, permet à l'artiste de rebondir.

Reste que l'œuvre de Modiano demeure à jamais marquée par ce passé antérieur de l'Occupation qui sert de cadre à ses trois premiers romans, *La Place de l'Étoile* (1968), *La Ronde de nuit* (1969) et *Les Boulevards de ceinture* (1972), ainsi qu'au scénario écrit en collaboration avec Louis Malle pour le film *Lacombe Lucien* (1974). C'est pourquoi s'intéresser au temps dans l'œuvre de Modiano exige un détour vers la nuit de l'Occupation. Néanmoins, il faut envisager dans quelle mesure ce passé a avant tout une valeur d'exemple, de symbole pour ce qu'il a de trouble. Or ce qui paraît hanter l'œuvre romanesque de Modiano, c'est justement ce que le temps peut avoir de trouble, de mêlé, et comment il crée des effets de surimpressions tout en pouvant aussi, pour un moment, s'immobiliser.

Questionné sur sa fascination pour le climat de l'Occupation, Modiano déclare en 1969 qu'il s'agit de son «paysage naturel». Il suggère ainsi deux choses: d'une part, qu'il se considère, du fait de son histoire familiale, comme le produit de ces années troubles, d'autre part, si on songe au terme «paysage», qu'il veut, comme romancier, donner à cette période une valeur surtout métaphorique.

Ses trois premiers romans sont des fictions à l'atmosphère crépusculaire, ancrées dans une période historique, l'Occupation. *La Place de l'Étoile* raconte, à la première personne, les aventures de Raphaël Schlemilovitch, un jeune juif qui veut devenir un écrivain français. Ce roman nous entraîne des bas-fonds de l'Occupation – durant laquelle Raphaël Schlemilovitch fut un juif collaborationniste – à un kibboutz disciplinaire en Israël, pour finir dans la clinique viennoise du docteur Freud. Le narrateur de *La Ronde de nuit*, qui a accepté de travailler pour la Gestapo française, se retrouve par le hasard de ses missions, membre d'un réseau de résistants. Dans *Les Boulevards de ceinture*, le narrateur, qui a pris l'identité de Serge Alexandre, part à la recherche de son père, qu'il retrouve caché sous le pseudonyme de Chalva Deyckecaire, dans un village en bordure de la forêt de Fontainebleau. Que fait ce dernier au milieu d'associés louches qui le méprisent? Il y a Jean Murraille, directeur de *C'est la vie*, journal politico-mondain et antisémite, spécialisé dans les scandales et tourné vers la pornographie, le comte Guy de Marcheret, ancien légionnaire alcoolique et obsédé qui doit épouser Annie, la nièce de Murraille. Il y a encore Maud Gallas et Sylviane Quimphe, qui traînent derrière elles des relents de prostitution. Deyckecaire, qui semble être le prête-nom de Murraille, lequel trafique, est-il un Juif traqué ou bien participa-t-il au marché noir organisé par Murraille?

Alors que *La Place de l'Étoile* disait et symbolisait l'éclatement de l'identité française, *Les Boulevards de ceinture* manifeste une dégénérescence plus profonde à travers des journalistes véreux et des intellectuels vendus de juillet 1944. Derrière le patron de presse Murraille et sa nièce, on aperçoit Jean et Corinne Luchaire, derrière Guy de Marcheret, Guy de Voisins, et derrière les normaliens antisémites Gerbère et Lestandi, les intellectuels collaborationnistes Maurice Bardèche et Robert Brasillach.

«La nuit de l'Occupation, c'est la nuit originelle d'où je suis sorti», expliquait Modiano à la parution de *La Ronde de nuit*.[4] Cette nuit est hantée par la figure énigmatique du père et par l'interrogation sans réponse sur la nature des liens que ce dernier, juif, entretint avec les milieux de la collaboration. Le narrateur des *Boulevards de ceinture* déclare: *«Murraille, Marcheret, Maud Gallas, Sylviane Quimphe… Ce n'est pas de gaieté de cœur que je donne leur pedigree. Ni par souci du romanesque, n'ayant aucune imagination. Je me penche sur ces déclassés, ces marginaux, pour retrouver, à travers eux, l'image fuyante de mon père. Je ne sais presque rien de lui. Mais j'inventerai.»*[5] Et, cinquante pages plus loin: *«J'ai pensé à tous les sacrifices auxquels j'avais consenti pour vous atteindre: ne plus vous tenir rigueur de l'‹épisode douloureux du métro Georges-V›. Plonger dans une atmosphère qui me sapait le moral et la santé; supporter la compagnie d'individus tarés; vous guetter pendant des jours et des jours, sans défaillance. Et tout cela pour ce mirage de pacotille que j'avais devant moi! Mais, je vous poursuivrais jusqu'à la fin. Vous m'intéressiez, ‹papa›. On est toujours curieux de connaître ses origines.»*[6]

Modiano, «*né le 30 juillet 1945, à Boulogne-Billancourt, 11 allée Marguerite, d'un juif et d'une Flamande qui s'étaient connus à Paris sous l'Occupation*», comme il l'écrit aux premières lignes d'*Un pedigree*,[7] affirmait en 1975: «*Comme tous les gens*

---

4. Entretien, *La Croix*, 9-11 novembre 1969.
5. *Les Boulevards de ceinture*, Paris, Gallimard, coll. «Blanche», 1972; rééd., coll. «Folio», 1978, p.77.
6. *Ibid.*, p.126-127.
7. *Un pedigree*, Paris, Gallimard, coll. «Blanche», 2005, p.9.

qui n'ont ni terroir ni racines, je suis obsédé par ma préhistoire. Et ma préhistoire, c'est la période trouble et honteuse de l'Occupation: j'ai toujours eu le sentiment pour d'obscures raisons d'ordre familial, que j'étais né de ce cauchemar.»[8] À la recherche de ses origines, du passé paternel, l'écrivain rencontre l'époque la plus trouble, la plus honteuse de l'histoire de France, celle que nombreux ont cherché à oublier, à faire oublier. Dans *Dora Bruder*, Modiano poursuit une autre quête, celle de la jeune fille disparue évoquée dans un avis de recherche datant de décembre 1941. À propos de *La Place de l'Étoile*, il y écrit: *«[...] j'avais commencé un livre – mon premier livre – où je prenais à mon compte le malaise [que mon père] avait éprouvé pendant l'Occupation. J'avais découvert dans sa bibliothèque, quelques années auparavant, certains ouvrages d'auteurs antisémites parus dans les années quarante qu'il avait achetés à l'époque, sans doute pour essayer de comprendre ce que ces gens-là lui reprochaient. [...] monstre imaginaire, fantasmatique, [...] cette créature pourrie par tous les vices, responsable de tous les maux et coupable de tous les crimes. Moi, je voulais dans mon premier livre répondre à tous ces gens dont les insultes m'avaient blessé à cause de mon père. Et, sur le terrain de la prose française, leur river une bonne fois pour toutes leur clou. Je sens bien aujourd'hui la naïveté enfantine de mon projet: la plupart de ces auteurs avaient disparu, fusillés, exilés, gâteux ou morts de vieillesse. Oui, malheureusement, je venais trop tard.»*[9]

Il est trop tard pour venger son père, tout comme il est trop tard pour percer ses secrets, pour le comprendre, pour devenir vraiment un fils. Pourtant, chaque roman se fait chapitre supplémentaire au livre unique qu'on ne peut s'empêcher d'intituler, rien que pour soi, «À la recherche du temps perdu». Mais le passé persiste à demeurer

---

8. Entretien, *Les Nouvelles littéraires*, 6 octobre 1975.
9. *Dora Bruder*, Paris, Gallimard, coll. «Blanche», 1997; réédd., coll. «Folio», 1999, p.70-71.

«un blanc, un bloc d'inconnu et de silence».[10] L'art romanesque de Modiano se refuse à l'élucidation. Si le passé revient de façon entêtante, c'est que la révélation n'a pas eu lieu, c'est que le secret qu'il recèle est encore et toujours à sonder. Dans *Un pedigree*, Modiano nous dit à propos de ses parents: «*Les bribes que j'ai rassemblées de leur vie, je les tiens pour la plupart de ma mère. Beaucoup de détails lui ont échappé concernant mon père, le monde trouble de la clandestinité et du marché noir où il évoluait par la force des choses. Elle a ignoré presque tout. Et il a emporté ses secrets avec lui.*»[11] Ainsi en est-il de l'énigmatique Pagnon qui parcourt l'œuvre romanesque de Modiano et précise sans pour autant les confirmer le lien des parents de plusieurs protagonistes avec le milieu collaborateur. Dans *De si braves garçons*, «Eddy» Pagnon, qui travaille pour l'occupant, libère des mains des Allemands le père et la mère de Christian, un des camarades de collège du narrateur. Dans *Dimanches d'août*, en mai 1944, «Louis» Pagnon achète en marks allemands le diamant la Croix du Sud et est exécuté à la Libération. Dans *Remise de peine*, «Louis» Pagnon, qui se fait appeler «Eddy», libère le père de Patoche d'une annexe de Drancy et est exécuté à la Libération car il appartient à la bande de la rue Lauriston, constituée d'auxiliaires français de la Gestapo.

Dans *Un pedigree*, on lit à propos du père de Modiano: «*Il m'avait désigné le bout de la rue de Marignan, là où on l'avait embarqué en février 1942. Et il m'avait parlé d'une seconde arrestation, l'hiver 1943, après avoir été dénoncé par ‹quelqu'un›. Il avait été emmené au Dépôt, d'où ‹quelqu'un› l'avait fait libérer.*»[12] «*Qui? Je me le suis souvent demandé*», écrit Modiano.

10. *Ibid.*, p. 28.
11. *Un pedigree, op. cit.*, p. 20.
12. *Ibid.*, p. 28.

Dans la vie de Modiano, l'Occupation semble investie de tous les silences et c'est à partir d'eux, et non sur eux, qu'il écrit. Le mystère suscite la rêverie, ouvre au monde des possibles, comme «la place de l'Étoile» aux avenues qui s'en éloignent. L'Occupation n'est que tremplin vers autre chose.

À la parution des *Boulevards de ceinture*, Modiano précisait que l'époque de l'Occupation telle qu'il la représentait dans ses livres était une «occupation mythique». Il ajoutait: *«Je n'ai pas voulu faire un tableau réaliste de l'occupation mais rendre sensible un certain climat moral de lâcheté et de désarroi. Rien à voir avec l'occupation réelle. Aucune vérité historique, mais une atmosphère, un rêve, un fantasme.»*[13] Le climat de cette période ne serait donc qu'un support pour créer une certaine atmosphère ténébreuse. Avec méticulosité, le futur écrivain s'est emparé de la bibliothèque paternelle constituée des livres de Drieu La Rochelle, Brasillach, Rebatet, Céline, pour ensuite se mettre à collectionner de vieux documents – journaux, revues, annuaires – dont il sortira un énorme fichier. Mais cette innutrition n'a pas fait de lui un auteur de romans historiques. En effet, sous sa plume, la réalité historique se brouille toujours à son imaginaire. L'Histoire n'est ni restituée ni reconstruite, mais réinventée. En 1969, Modiano expliquait: *«À force d'être familier avec l'occupation, tous ses protagonistes m'apparaissent comme des personnages mythiques, des créatures de fiction.»*[14] À propos de *La Ronde de nuit*, il déclarait: *«Beaucoup des personnages cités relèvent presque pour moi de la légende. Je les ressens comme une espèce*

13. Entretien, *Les Nouvelles littéraires*, 30 octobre-5 novembre 1972.
14. Entretien, *La Croix*, 9-11 novembre 1969.

de mythe. Je les vois comme des funambules qui me fascinent.»[15] Si le lecteur peut jouer au jeu des ressemblances, peut s'exercer à distinguer le vrai du faux en lisant attentivement les longues listes de noms qu'offrent les romans de Modiano, il peut tout aussi bien se laisser griser par ces litanies et profiter lui aussi du spectacle de ces équilibristes.

Modiano nous offre, avec ses premiers romans, des rêveries qui prennent pour toile de fond l'atmosphère ténébreuse de l'Occupation. Or le rêve redoute les repères trop stables et ignore la chronologie qui rassure. *«Il y a eu un quiproquo à mon sujet. Sauf pour mon premier livre qui était une espèce de pamphlet sur la question juive, mes autres romans auraient très bien pu se passer en un autre temps. C'était un univers de fiction parmi d'autres. [...] Ce qui m'intéresse en fait toujours, c'est la description d'une petite société interlope de gens qui n'ont de racines ni morales ni géographiques.»*[16] L'Occupation lui apparaît comme *«un univers trouble où toutes les rencontres sont possibles, où des individus lâches trouvent une envergure soudaine, où des épaves issues du désordre prennent le pouvoir».*[17] À l'éternelle question sur sa prédilection pour les années noires, il répond en 1969: *«C'est un univers où – sans l'avoir connu – je retrouve tout ce qui m'obsède. Ainsi, à la suite de l'Armistice on voit s'affirmer une société interlope de trafiquants, de déclassés. J'y retrouve le sentiment que j'ai toujours eu, de ne pouvoir m'accrocher à quelque chose de stable. Il y a aussi un climat policier de décomposition morale. Quand je pense à la période de l'Occupation, ce qui me retient, ce n'est pas l'héroïsme de quelques-uns, mais ce qu'il y a eu chez le plus grand nombre de pourrissement et de lâcheté.»*[18] On trouve souvent dans les bibliothèques des personnages de ses romans des livres de la «Série noire» ou ceux à la couverture

15. Entretien, «Patrick Modiano ou l'esprit de fuite», *Magazine littéraire*, n°34, novembre 1969.
16. «Modiano», *Le Point*, n°87, 21 mai 1974.
17. Entretien, *Elle*, 8 décembre 1969.
18. Entretien, *Magazine littéraire*, n°34, novembre 1969.

jaune du «Masque». Le climat de «décomposition morale» évoqué par Modiano à propos de ses livres rappelle celui des romans noirs américains d'un Chandler ou d'un Hammett. À la parution de *La Ronde de nuit*, l'auteur ajoutait que cette époque n'y avait qu'une «valeur d'exemple». L'époque est paradoxalement «exemplaire» en ce qu'elle recèle pour lui d'oppositions tranchées. Le narrateur de *La Ronde de nuit* remarque ainsi: *«L'époque où nous vivions exigeait des qualités exceptionnelles dans l'héroïsme ou dans le crime.»*[19] Les ténèbres de l'occupation auraient donc le pouvoir de rendre les choses plus claires. Mais chez Modiano, le traître ne tarde pas à se faire agent double, et la lumière se brouille de nouveau pour redevenir ce qu'elle n'a jamais vraiment cessé d'être, une «obscure clarté». Modiano ne sort pas de la lumière floue du rêve. L'Occupation, période trouble comme on le dit d'une eau impure, est le lieu propice à la création de cet art du flou, de la dualité qui caractérise son œuvre.

Alors qu'on lui faisait remarquer que, si *La Ronde de nuit* porte la mention «roman», on y reconnaissait pourtant Darquier de Pellepoix[20] et le docteur Petiot,[21] et qu'on pouvait observer que le narrateur se présentait comme le fils de Stavisky,[22] Modiano répondait ainsi: *«J'ai employé un processus de mythomanie qui permet de mélanger réalité et fiction. En même temps, j'ai l'impression que cette interférence crée un certain malaise qui n'aurait pas lieu si le lecteur était sûr de se trouver soit dans l'imaginaire pur, soit dans la réalité historique.»*[23] *La Ronde de nuit* n'offre pas en effet un tableau réaliste du Paris de 1941. L'auteur joue de la transposition et du brouillage.

19. *La Ronde de nuit*, Paris, Gallimard, coll. «Blanche», 1969; rééd., coll. «Folio», 1976, p. 110.
20. Commissaire général aux Questions Juives de Vichy.
21. Auteur d'une soixantaine de meurtres pendant l'Occupation.
22. Célèbre escroc des années 1930.
23. Entretien, *Magazine littéraire*, n° 34, novembre 1969.

Il change les noms de lieux et de personnes. Ainsi, la bande d'Henri Normand, surnommé le Khédive, est calquée sur celle de Lafont (Henri Chamberlin), mais est installée dans la maison d'une famille imaginaire, celle des Bel Respiro, dont le décor est emprunté à la bande Berger de la rue de la Pompe. De plus, le passé s'ouvre sur la Belle Époque avec la vie de la famille Bel Respiro. Le présent menaçant de l'Occupation se double par ailleurs d'un autre «maintenant» qui est le temps de la narration, où l'on voit le narrateur revisiter le square Cimarosa bien après les événements qui y ont eu lieu dans le roman. Le temps de l'Occupation s'ouvre à d'autres temps. La métaphore en appelle d'autres et le roman s'éloigne toujours plus des manuels d'histoire. Dans les romans de Modiano, le temps n'est jamais figé en une époque, il est en mouvement car la rêverie est intemporelle. *«L'Occupation, telle que je l'ai décrite, n'a qu'un lointain rapport avec les véritables années 1940. C'est un climat qui rappelle l'Occupation et qui finit par ne plus tellement lui ressembler. Les années 1960, dans* Villa triste, *sont pareillement imaginaires... Mes romans ne sont pas des reconstitutions à la Cecil B. De Mille»*, disait Modiano en 1975.[24]

«Le grand, l'inévitable sujet romanesque, c'est toujours, de toute manière, le temps: voir Tolstoï, Proust et tous les autres phares. De toutes les formes d'écriture, la forme romanesque est la plus habilitée à donner l'odeur du temps.»[25] Même quand les livres de Patrick Modiano s'éloignent des années sombres, pour se transposer le plus souvent dans les années 1960, c'est pour en en conserver malgré tout la tonalité: une certaine

---

24. Entretien, «Patrick Modiano ou le passé antérieur», *Les Nouvelles littéraires*, 6 octobre 1975.
25. *Ibid.*

qualité d'ombre et de silence. Avec *Villa triste* (1975), *Livret de famille* (1977) *et Rue des boutiques obscures* (1978), la fonction thématique et symbolique de l'Occupation s'efface. Il n'en reste que de simples échos. Ainsi dans *Villa triste*, on trouve une allusion au père du docteur René Meinthe qui fut un héros de la Résistance. Dans *Livret de famille*, le narrateur rencontre à Lausanne un certain «D.» qui pourrait être un ancien collaborateur. Enfin, dans *Rue des boutiques obscures*, l'action converge vers les années 1940 mais de façon très diffuse.

Avec son quatrième roman, *Villa triste*, Modiano quitte son passé antérieur, sa «préhistoire» pour l'époque de sa jeunesse, les années 1960. L'action se déroule dans une petite ville de la province française, au bord d'un lac et à proximité de la Suisse. C'est dans cette ville qu'à dix-huit ans le narrateur, Victor Chmara, un apatride aux semelles de vent, vient se réfugier. Dans la foule des estivants, il rencontre une jeune fille, Yvonne, et un étrange docteur, René Meinthe. L'intrigue a en fait l'épaisseur temporelle d'une dizaine d'années. Le temps de la narration se situe près de dix ans après les événements racontés. Ce sont les émotions liées au suicide du docteur Meinthe qui déclenchent le récit. Quatre chapitres du roman sont consacrés à la veille de la mort de Meinthe, cet homme étrange qui était le seul survivant de cette petite ville d'un été passé. En entrelaçant les souvenirs de l'été enfui à ce présent qui se fait déjà passé, Modiano ressuscite les émotions d'une époque perdue et fait revivre une ville morte. La station thermale n'est pas alors sans évoquer le Balbec de Proust. Dans la station thermale des amours de Victor et Yvonne, le temps parfois s'immobilise. Dans les chambres d'hôtel où ils passent leurs journées à lire de vieux magazines, à ne rien faire, l'immobilité du temps est celle de l'amour idyllique. Mais dans la «Villa triste» du docteur Meinthe, elle est celle de la terreur d'une longue nuit durant laquelle le couple est condamné à ramper dans l'obscurité.

Les années 1960 représentent à la fois une accalmie historique et une menace sourde, celle de la guerre d'Algérie. En 1975, Modiano déclarait: *«La guerre d'Algérie n'est pas le sujet de* Villa triste. *Elle agit au-dessus du personnage comme une sourde menace, générale mais imprécise.»*[26] Victor Chmara nous dit ainsi: *«[...] je crevais de peur, un sentiment qui depuis ne m'a jamais quitté: il était beaucoup plus vivace et plus raisonné en ce temps-là. J'avais fui Paris avec l'idée que cette ville devenait dangereuse pour des gens comme moi. Il y régnait une ambiance policière déplaisante. Beaucoup trop de rafles à mon goût. Des bombes éclataient. Je voudrais donner une précision chronologique, et puisque les meilleurs repères, ce sont les guerres, de quelle guerre, au fait, s'agissait-il? De celle qui s'appelait d'Algérie, au tout début des années soixante, époque où l'on roulait en Floride décapotable et où les femmes s'habillaient mal. Les hommes aussi. Moi, j'avais peur, encore plus qu'aujourd'hui et j'avais choisi ce lieu de refuge parce qu'il était situé à cinq kilomètres de la Suisse. [...] Je ne savais pas encore que la Suisse n'existe pas.»*[27] Et puis quelques pages plus loin: *«Sage et romantique jeunesse qu'on expédierait en Algérie. Pas moi.»*[28] Les coups de fil énigmatiques que reçoit le docteur Meinthe suggèrent les secrets d'une guerre qui ne dit pas son nom. Plus de vingt ans après, dans *Des inconnues* (1999), la guerre d'Algérie ressurgit par l'intermédiaire du personnage de Guy Vincent rencontré par la narratrice, et d'Algériens aux serviettes en cuir. Dans *Un pedigree*, Modiano écrit: *«Ces années étranges de mon adolescence, Alger était le prolongement*

26. *Ibid.*
27. *Villa triste*, Paris, Gallimard, coll. «Blanche», 1975, p. 14.
28. *Ibid.*, p. 16.

de Paris, et Paris recevait les ondes et les échos d'Alger, comme si le sirocco soufflait sur les arbres des Tuileries en apportant un peu de sable du désert et des plages...»[29]

Il nourrit ses romans des temps qui le hantent, années 1940, mais aussi 1950 et 1960. Dans *Remise de peine* (1987), roman où le narrateur est au plus près d'un Modiano enfant qu'on appelle «Patoche», on lit: *«Quelques phrases vous restent gravées dans l'esprit pour toujours».*[30] L'odeur du temps que peut restituer le roman, c'est justement ce sentiment que des moments nous habitent, qu'une odeur nous imprègne, une odeur que l'auteur, tel l'alchimiste, recrée, mais forcément autre. Modiano, en 1992, reconnaissait ainsi: *«On est à jamais marqué par ce qu'on a éprouvé entre six et vingt ans. On retourne toujours à la case départ de l'enfance.»*[31] Le narrateur de *Remise de peine* a conscience de ses obsessions, de ses marques: *«Quelques années plus tard, je l'ai entendu dans la bouche de mon père, mais j'ignorais que ‹la bande de la rue Lauriston› me hanterait si longtemps.»*[32] Ou encore: *«Leurs carrosseries luisaient doucement dans cette pénombre, et je ne pouvais pas détacher les yeux d'une plaque métallique fixée au mur, une plaque jaune sur laquelle je lisais un nom de sept lettres en caractères noirs, dont le dessin et la sonorité me remuent encore le cœur aujourd'hui: CASTROL.»*[33] Le passé ne passe pas, il persiste. Dans *Catherine Certitude*, on lit: *«Nous restons toujours les mêmes, et ceux que nous avons été, dans le passé, continuent à vivre jusqu'à la fin des temps. Ainsi il y aura toujours une petite fille nommée Catherine Certitude qui se promènera avec son père dans les rues du Xe arrondissement, à Paris.»*[34]

29. *Un pedigree, op. cit.*, p. 61.
30. *Remise de peine*, Paris, Éd. du Seuil, 1987, p. 133.
31. Entretien, *Magazine littéraire*, n° 302, Septembre 1992.
32. *Remise de peine, op. cit.*, p. 88.
33. *Ibid.*, p. 108.
34. *Catherine Certitude*, Paris, Gallimard jeunesse, 1988; rééd., coll. «Folio», 2005, p. 95.

Dans *Livret de famille* (1977), Modiano mêle en quinze chapitres autobiographie et souvenirs imaginaires. L'auteur s'est construit à partir de ces différents temps qu'il nous permet de feuilleter. On rencontre sa mère dans la Belgique de 1940, mais on y croise aussi un narrateur adolescent en voyage avec son père ou son oncle. Dans le chapitre VI, c'est octobre 1973, la guerre en Orient, qui ressurgit par le biais d'un personnage nommé Bourlagoff qui s'écroule dans un café. Avec le chapitre XIV, l'appartement du quai de Conti où l'auteur a passé son enfance permet l'évocation de ses parents en mai 1942 puis celle d'une Flo Nordis croisée en Tunisie en 1976. En 2001, Modiano déclarait: «*Je ne crois pas que mes romans soient figés dans une époque – les années soixante ou quarante. C'est une rêverie tout à fait subjective sur les années soixante ou quarante, mais aussi bien sur des choses courantes; une cabine téléphonique, une chaussure, une rue, un chien… Et la rêverie est intemporelle.*»[35]

La cabine téléphonique de *La Petite Bijou* (2001), la chaussure d'*Accident nocturne* (2003), le chien d'*Un cirque passe* (1992) ou d'*Une aventure de Choura* (1986) ne sont figés dans aucun temps que celui des romans de Modiano, celui au-dessus duquel il écrit, funambule. Intemporelle comme la rêverie, son œuvre dit la confusion du temps, ses effets de surimpression ou de simultanéité. Le processus de la mémoire est à différentes reprises associé aux couches successives de papiers peints et de tissus qui recouvrent les murs. Un temps n'efface pas l'autre, il s'y ajoute. À la fin de *Livret de famille*, Modiano écrit: «*Je me souviens de tout. Je décolle les affiches placardées par couches successives depuis cinquante ans pour retrouver les lambeaux des plus anciennes.*»[36]

---

35. Entretien, *Le Figaro*, 17 avril 2001.
36. *Livret de famille*, Paris, Gallimard, coll. «Blanche», 1977; rééd., coll. «Folio», 1981, p. 214.

Dans la plupart de ses romans, il y a une juxtaposition d'époques différentes. Dans *Voyage de noces* (1990) ou *Du plus loin de l'oubli* (1996), on observe le même emboîtement de trois retours en arrière l'un dans l'autre. Dans *Accident nocturne* (2003), le récit entrelace l'époque de l'accident qui donne son titre au roman, accident survenu alors que le narrateur avait environ vingt ans, celle d'avant cet événement, jusqu'à quinze ans en arrière, mais aussi des moments situés trente ans après. Le narrateur d'*Accident nocturne* affirme: «*Tout se confond dans ma mémoire pour la période qui a précédé l'accident. Les jours se succédaient dans une lumière incertaine. J'attendais que le voltage augmente pour y voir plus clair. Quand j'y repense aujourd'hui, seule la silhouette d'Hélène Navachine se détache du brouillard.*»[37] Plus loin, il s'interroge: «*Je me demande si la nuit où la voiture m'a renversé je ne venais pas d'accompagner Hélène Navachine à son train, gare du Nord. L'oubli finit par ronger des pans entiers de notre vie et, quelquefois, de toutes petites séquences intermédiaires. Et dans ce vieux film, les moisissures de la pellicule provoquent des sautes de temps et nous donnent l'impression que deux événements qui s'étaient produits à des mois d'intervalle ont eu lieu le même jour et qu'ils étaient même simultanés. Comment établir la moindre chronologie en voyant défiler ces images tronquées qui se chevauchent dans la plus grande confusion de notre mémoire, ou bien se succèdent tantôt lentes, tantôt saccadées, au milieu de trous noirs? À la fin, la tête me tourne.*»[38] Dans *Dimanches d'août* (1986), on lisait déjà: «*Tout finit par se confondre. Les images du passé s'enchevêtrent dans une pâte légère et transparente qui se distend, se gonfle et prend la forme d'un ballon irisé, prêt à éclater.*»[39] Si la surimpression est possible, ce n'est pas par un phénomène

37. *Accident nocturne*, op. cit., p. 70.
38. *Ibid.*, p. 93.
39. *Dimanches d'août*, Paris, Gallimard, coll. «Blanche», 1986, p. 46.

proustien de réminiscence mais parce que, chez Modiano, le temps est transparent. C'est ainsi qu'au hasard de ses promenades dans Paris, le narrateur de *Fleurs de ruine* (1991) le ressent: «*J'ai traversé les jardins. Était-ce la rencontre de ce fantôme? Les allées du Luxembourg où je n'avais pas marché depuis une éternité? Dans la lumière de fin d'après-midi, il m'a semblé que les années se confondaient et que le temps devenait transparent.*»[40] La transparence permet la surimpression, mais elle confronte aussi les personnages à un vide douloureux. Dans *Vestiaire de l'enfance* (1989), le narrateur, qui a trouvé refuge dans une ville de bord de mer qui ressemble à Gibraltar ou à Tanger et dont la chaleur lourde enrobe les palaces défraîchis et les tramways fatigués, pense être arrivé au bout du monde, là où le temps s'est arrêté. Mais il ne trouve pas l'apaisement. «*La sensation de vide m'a envahi, encore plus violente que d'habitude. Elle m'était familière. Elle me prenait, comme à d'autres des crises de paludisme. Cela avait commencé à Paris, lorsque j'avais environ trente ans. Les dimanches d'été, en fin d'après-midi, à l'heure où l'on entend le bruissement des arbres, il y avait une telle absence dans l'air... De tout ce que j'ai pu éprouver au cours des années où j'écrivais mes livres à Paris, cette impression d'absence et de vide est la plus forte. Elle est comme un halo de lumière blanche qui m'empêche de distinguer les autres détails de ma vie de cette époque-là et qui brouille mes souvenirs. Aujourd'hui, je sais la manière de surmonter ce vertige. Il faut que je me répète doucement à moi-même mon nouveau nom: Jimmy Sarano, ma date et mon lieu de naissance, mon emploi du temps, le nom des collègues de Radio-Mundial que je rencontrerai le jour même, le résumé du chapitre des* Aventures de Louis XVII *que j'écrirai, mon adresse, 33, Mercedes Terrace, bref, que je m'agrippe à tous ces points de repère pour ne pas me laisser*

---

40. *Fleurs de ruine*, Paris, Éd. du Seuil, 1991, p. 43.

aspirer par ce que je ne peux nommer autrement que: le vide.»[41]
C'est le narrateur du roman suivant, *Voyage de noces*, en proie
au même malaise, qui nous offre une explication incertaine:
*«Depuis longtemps déjà – et cette fois-ci d'une manière plus violente
que d'habitude – l'été est une saison qui provoque chez moi une
sensation de vide et d'absence et me ramène au passé. Est-ce la
lumière trop brutale, le silence des rues, ces contrastes d'ombre et
de soleil couchant, l'autre soir, sur les façades des immeubles du
boulevard Soult? Le passé et le présent se mêlent dans mon esprit
par un phénomène de surimpression. Le malaise vient de là, sans
doute.»*[42] Pour Modiano et ses lecteurs, aussi, «sans doute»?
Dans ses romans, le temps vécu comme le temps du souvenir
ou du rêve captent le réel à travers ses expressions les plus
éphémères, ses sensations plus imprécises. La mémoire
à l'œuvre dans ses textes réussit à réunir les différentes
couches de temps et à les transformer en une nouvelle
réalité temporelle, celle d'un temps purement romanesque,
à la fois évanescent et palpable, tel le fil sur lequel avance
le funambule.

41. *Vestiaire de l'enfance*, Paris, Gallimard, coll. «Folio», 1991, p. 101.
42. *Voyage de noces*, Paris, Gallimard, coll. «Blanche», 1990, p. 24.

«Vivre, c'est s'obstiner à achever un souvenir.»

C'est cette citation de René Char qui sert d'épigraphe au *Livret de famille* de Modiano. Si elle associe la vie, le présent sans cesse renouvelé, au passé du souvenir, elle éclaire surtout par son utilisation du verbe «achever». Nul doute que Modiano a conscience de la polysémie d'un verbe qui signifie à la fois «accomplir», «réaliser» et «donner le coup de grâce». L'œuvre de Modiano dit ce double travail sur le temps, celui d'une mémoire qui redonne réalité au passé et celui d'un oubli qui cherche à s'en débarrasser. Mais le temps y apparaît aussi force indépendante et destructrice qui recouvre le passé et ainsi donne le coup de grâce aux souvenirs. Les personnages sont confrontés à cette fatalité. Conscients de la perte, de la disparition inéluctable de tout et de tous, ils se retrouvent en proie à un passé piège, à une mémoire qui n'est plus que douleur. Donner le coup de grâce au souvenir peut être alors pour eux chercher le réconfort de l'amnésie, l'anesthésie de l'oubli, le soulagement de l'éther. Mais «achever un souvenir», c'est aussi pour Modiano et ses personnages s'obstiner à le compléter, le finir, et pour cela, il faut retrouver des traces, des échos lointains que le temps aura échoué à ensevelir tout à fait. Il s'agit de faire revivre l'éphémère et l'incertain et donc de lutter contre l'érosion du temps.

En 1975, alors qu'on l'interroge sur la nostalgie qui s'exhale de *Villa triste*, Modiano déclare: *«La lumière voilée de mes livres crée un malentendu: elle ne cherche pas à ressusciter un passé bien précis, elle ne veut être que la coloration du temps. Un peu comme dans certains tableaux de Claude Lorrain, où l'horizon baigne dans une lumière nostalgique. J'essaie simplement de montrer comment le temps passe et recouvre tout, choses et gens, comment la lumière baisse et s'immobilise un instant…»* Il poursuit ainsi: *«J'ai toujours regardé en arrière; si j'ai senti, très jeune et de façon très aiguë, que le temps finissait par tout ronger, par tout dissoudre, par tout détruire, c'est que j'avais moi-même un profond sentiment d'insécurité, de là cet esprit de fuite… la sensation que tout, toujours, se dérobe.»*[43] Le temps apparaît au futur auteur de *Quartier perdu*, de *Fleurs de ruine* et de *Du plus loin de l'oubli*, comme une puissance destructrice. Les romans de Modiano illustrent son pouvoir de dispersion comme sa faculté d'engloutissement.

Dans *De si braves garçons* (1982), roman où le narrateur s'adresse tour à tour à ses anciens camarades du collège de Valvert et nous livre plusieurs de leurs instants de vie, de leurs destins, on observe le mouvement centrifuge du temps. Le récit est fait de va-et-vient entre les souvenirs du collège et d'autres aspects de la vie de ces «braves garçons». Le temps a éparpillé ces «enfants du hasard et de nulle part».[44] Les trois couches temporelles de la narration concernent les années 1940, 1960 et 1980. Elles permettent la confrontation des différentes générations. Au chapitre V, l'histoire de la Petite Bijou renvoie aux années 1940. Au chapitre XIII situé dans les années 1980, on découvre une autre petite fille, Corinne, et l'effet de continuité suggère l'idée d'un déclin progressif. Le collège lui-même propose une représentation spatiale de cette organisation temporelle. En effet, le bunker évoque l'époque de la guerre, le drapeau et les cérémonies, l'époque gaullienne, et la destruction du collège par une société immobilière rapportée par le narrateur s'inscrit dans les années 1980. Le mouvement est

---

43. Entretien, *Les Nouvelles littéraires*, 6 octobre 1975.
44. *De si braves garçons*, Paris, Gallimard, coll.«Blanche», 1982; rééd., coll.«Folio», 1987, p.11.

celui d'une dispersion. Ce même mouvement transparaît au sein du chapitre le plus long, le chapitre X consacré à Christian Portier et sa mère. C'est dans le cadre des années 1960 que nous apparaît Madame Portier qui représente une génération affectée par la guerre. Vingt ans plus tard, à Nice, le narrateur ne peut que constater la déchéance de la vieille loueuse de studios meublés qu'elle est devenue. Dans *De si braves garçons*, ceux qui cherchent à lutter contre le temps qui passe n'en sont que plus pathétiques, tel Yotlande qui rejoue inlassablement sa jeunesse perdue à la terrasse du «Scossa». L'ancienne vedette des rallyes du samedi soir sent bien de manière imperceptible qu'il a vieilli mais n'en reste pas moins prisonnier de son glorieux passé. Le temps est le plus fort et le narrateur de s'interroger: «*Pourquoi certaines personnes restent-elles, jusque dans leur vieillesse, prisonnières d'une époque, d'une seule année de leur vie, et deviennent-elles peu à peu la caricature décrépite de ce qu'elles furent à leur zénith?*»[45] Cette conscience du vieillissement, de la décomposition, apparaît dans bien d'autres romans. Le personnage surnommé «le Gros» dans *Livret de famille* a été le plus beau des princes héritiers d'Égypte. Dans *Une jeunesse*, Georges Bellune n'a plus rien du jeune et séduisant compositeur qu'il a été. «*Qu'y a-t-il de commun entre ce vieil homme fourbu que je vois s'éloigner dans la nuit avec son manteau râpé et sa grosse serviette noire, et le joueur de tennis d'autrefois, le bel et blond baron balte Constantin Von Hutte?*» lit-on aux premières pages de *Rue des boutiques obscures*. [46]

Dans *Villa triste* (1975), c'est le docteur Meinthe qui représente le passé condamné à être balayé par le temps qui emporte tout

45. *Ibid.*, p. 87.
46. *Rue des boutiques obscures*, Paris, Gallimard, coll. «Blanche», 1978; rééd., coll. «Folio», 1982, p. 16.

sur son passage. Il est le seul survivant de la ville d'eaux, le seul repère humain d'un été du narrateur. Le roman s'ouvre sur l'énumération de ce que le temps a englouti: «*Ils ont détruit l'hôtel de Verdun [...]. Le café voisin, en forme de rotonde, a disparu lui aussi. [...] une ville morte [...]. Nous aurons été les derniers témoins d'un monde.*»[47] Le souvenir lui-même échoue à renaître intact. Le narrateur constate: «*[...] le temps a enveloppé toutes ces choses d'une buée aux couleurs changeantes: tantôt vert pâle, tantôt bleu légèrement rosé. Une buée? Non, un voile impossible à déchirer qui étouffe les bruits et au travers duquel je vois Yvonne et Meinthe mais je ne les entends plus. Je crains que leurs silhouettes ne finissent par s'estomper et pour leur conserver un peu de réalité...*»[48] Il faut rêver d'eux, écrire pourrait-on compléter. Mais la conscience de la perte n'en demeure pas moins aiguë et douloureuse. Écoutons encore Victor Chmara: «*La mort de Meinthe laisserait pour toujours certaines choses dans l'ombre. Ainsi je ne saurais jamais qui était Henri Kustiker. J'ai répété ce nom à voix haute: Kus-ti-ker, Kus-ti-ker, un nom qui n'avait plus de sens, sauf pour moi. Et pour Yvonne. Mais qu'était-elle devenue? Ce qui nous rend la disparition d'un être plus sensible, ce sont les mots de passe qui existaient entre lui et nous et qui soudain deviennent inutiles et vides.*»[49] Le sentiment de disparition, de perte, rend sensible l'absence. Le narrateur de *Livret de famille* devient porte-parole de l'écrivain quand il dit, après le départ de son amie Denise: «*J'ai éprouvé une impression de vide qui m'était familière depuis mon enfance, depuis que j'avais compris que les gens et les choses vous quittent ou disparaissent un jour.*»[50] Ce thème de la vie éphémère pourrait sembler bien banal. Mais il n'apparaît, dans l'œuvre de Modiano, que comme

47. *Villa triste, op. cit.*, p. 7-10.
48. *Ibid.*, p. 143.
49. *Ibid.*, p. 160.
50. *Livret de famille, op. cit.*, p. 189.

un constat qui teinte de son amertume le discours sur soi si plein de retenue des personnages. La minutieuse enquête de Guy Roland dans *Rue des boutiques obscures* s'achève sur cette image: «*[...] il me fallait tenter une dernière démarche: me rendre à mon ancienne adresse à Rome, rue des Boutiques Obscures, 2. [...] Une petite fille rentre de la plage, au crépuscule, avec sa mère. Elle pleure pour rien, parce qu'elle aurait voulu continuer de jouer. Elle s'éloigne. Elle a déjà tourné le coin de la rue, et nos vies ne sont-elles pas aussi rapides à se dissiper dans le soir que ce chagrin d'enfant?*»[51] Ainsi, ce n'est pas sans ironie que Modiano choisit le thème du feuilleton que le narrateur de *Vestiaire de l'enfance* (1989) écrit pour Radio-Mundial. On lit: «*[...] ce thème que j'ai galvaudé dans un feuilleton me touche plus qu'un autre. C'est le thème de la survie des personnes disparues, l'espoir de retrouver un jour ceux qu'on a perdus dans le passé. L'irréparable n'a pas eu lieu, tout va recommencer comme avant. ‹Louis XVII n'est pas mort. Il est planteur à la Jamaïque et nous allons vous raconter son histoire.› Cette phrase, Sirvent la prononce chaque soir, au début du feuilleton.*»[52]

Dans *Une jeunesse* (1981), Bauer, l'ancien habitant de l'appartement de Louis et Odile, déclare que les êtres qu'il regarde sur son vieil album de photos lui donnent l'impression d'être « des vagues qui sont venues se briser au fur et à mesure... ».[53] Chez Modiano, le passé engloutit êtres et choses comme une marée montante, mais l'écume de ces vagues brisées persiste sur le sable et rend l'absence douloureusement présente. Dans ses romans, les personnages sont souvent lestés d'un passé encombrant. L'obsession, au sens propre d'occupation spatiale, apparaît dès

51. *Rue des boutiques obscures, op. cit.*, p. 251.
52. *Vestiaire de l'enfance, op. cit.*, p. 12.
53. *Une jeunesse*, Paris, Gallimard, coll. «Blanche», 1981; rééd., coll. «Folio», 1995, p. 172.

La Place de l'Étoile dans une remarque sur des souvenirs qui semblent pourtant bien inoffensifs. «*Les autres accessoires qui encombrent mon enfance sont les parasols orange de la plage, le Pré-Catelan, le cours Hattemer, David Copperfield et trois photos de Lipnitzki où je figure à côté d'un arbre de Noël*», signale Raphaël Sclemilovitch.[54] Dans *Vestiaire de l'enfance*, tous les personnages semblent fuir un passé encombrant et des fautes qui resteront bien imprécises pour le lecteur. Le narrateur de *Livret de famille* se confond une fois encore avec l'auteur et se fait voix de bien des personnages de ses romans quand il nous confie: «*Je n'avais que vingt ans, mais ma mémoire précédait ma naissance. J'étais sûr, par exemple, d'avoir vécu dans le Paris de l'Occupation puisque je me souvenais de certains personnages de cette époque et de détails infimes et troublants, de ceux qu'aucun livre d'histoire ne mentionne. Pourtant, j'essayais de lutter contre la pesanteur qui me tirait en arrière, et rêvais de me délivrer d'une mémoire empoisonnée. J'aurais donné tout au monde pour devenir amnésique.*»[55] Contre le temps qui recouvre tout et la pesanteur d'une «mémoire empoisonnée», il s'agirait donc d'achever soi-même le souvenir, lui donner le coup de grâce en se réfugiant dans l'oubli.

Chez Modiano, la mémoire se révèle souvent puissance dangereuse qui envahit et menace la jouissance du temps présent. La saveur des temps perdus empêche de vivre au présent. Pour vivre, les personnages sont tentés de se libérer de ce fardeau. À la fin de *Livret de famille*, le narrateur parle ainsi de sa fille Zénaïde, âgée d'un an seulement:

---

54. *La Place de l'Étoile*, Paris, Gallimard, coll.«Blanche», 1968; rééd., coll.«Folio», 1975, p. 19.
55. *Livret de famille*, *op.cit.*, p. 116-117.

«*Rien ne troublait son sommeil. Elle n'avait pas encore de mémoire.*»[56]
Trouver, retrouver une telle amnésie le soulagerait. De nombreux personnages des romans de Modiano semblent fuir le passé, rechercher des espaces qui en préservent. Il s'agit pour eux alors de couper les liens, de devenir des êtres sans passé, des inconnus. Ainsi les trois narratrices du recueil *Des inconnues* (1999) quittent leurs derniers points d'attache: la première Lyon et le Mur des Lazaristes, la deuxième le pensionnat, la troisième Londres et un amoureux prénommé René. Dans *Voyage de noces* (1990), Jean B. fait semblant de partir au Brésil pour mieux se cacher dans les hôtels des quartiers périphériques de Paris, où il pense que nul ne le reconnaîtra. Dans *Vestiaire de l'enfance* (1989), Jimmy Sarano se croyait, lui aussi, à l'abri jusqu'à ce qu'un journaliste l'identifie comme l'écrivain Jean Moreno. Dans *Du plus loin de l'oubli* (1996), c'est encore la fuite qui offre au narrateur l'apaisement de l'oubli, auprès de cette Jacqueline avec laquelle il a découvert les délices amnésiques de l'éther. On lit: «*Nous étions arrivés à Londres, Jacqueline et moi [...] Au moment où le taxi s'engageait dans le Mall et que s'ouvrait devant moi cette avenue ombragée d'arbres, les vingt premières années de ma vie sont tombées en poussière, comme un poids, comme des menottes ou un harnais dont je n'avais pas cru qu'un jour je pourrais me débarrasser. Eh bien voilà, il ne restait plus rien de toutes ces années. Et si le bonheur c'était l'ivresse passagère que j'éprouvais ce soir-là, alors, pour la première fois de mon existence, j'étais heureux.*»[57] Nombreux sont les personnages qui rêvent à un moment d'une telle libération. *Les Boulevards de ceinture* (1972) s'achève sur cette phrase: «*Je ferais mieux de penser à l'avenir.*»

56. *Ibid.*, p. 215.
57. *Du plus loin de l'oubli*, Paris, Gallimard, coll. «Blanche», 1996; rééd., coll. «Folio», 1997, p. 158.

À la dernière page de *Quartier perdu* (1984), le narrateur retrouve la jeune femme qui avait joué un rôle dans sa vie, à l'époque de ses vingt ans. Il l'aide à porter sa valise et elle ne le reconnaît pas. Elle rentre de vacances dans le Sud. Il nous dit: «*Elle revient de plus loin encore. Carmen. Rocroy. La Varenne-Saint-Hilaire. Paris. Toutes ces rues en pente... Sa valise ne pèse pas lourd. Je la regarde à la dérobée. Une grande cicatrice lui barre le front. La marque du temps, peut-être. Ou bien la trace que vous laisse l'un de ces accidents qui vous ont fait perdre la mémoire pour la vie. Moi aussi, à partir d'aujourd'hui, je veux ne plus me souvenir de rien.*»[58]

La Suisse du chapitre IX de *Livret de famille* est d'abord un lieu sûr en ce qu'elle offre d'amnésie. «*Tout flottait, à Lausanne, le regard et le cœur glissaient sans pouvoir s'accrocher à une quelconque aspérité. Tout était neutre. Ni le temps, ni la souffrance n'avaient posé leur lèpre ici. D'ailleurs, depuis plusieurs siècles, de ce côté du Léman, il s'était arrêté, le temps. [...] sentiment général d'irréalité.*»[59] Le narrateur nous confie ensuite: «*J'étais heureux. Je n'avais plus de mémoire. Mon amnésie s'épaissirait de jour en jour comme une peau qui se durcit. Plus de passé. Plus d'avenir. Le temps s'arrêterait et tout finirait par se confondre dans la brume bleue du Léman. J'avais atteint cet état que j'appelais:‹la Suisse du cœur›.*»[60] Mais le passé ressurgit avec la voix de Robert Gerbaud qui anime l'émission de radio «Musique dans la nuit». Le narrateur croit reconnaître en lui «D., le personnage le plus hideux du Paris de l'Occupation», qui, une nuit de mars 1942, a interrogé son père rue Greffulhe, au siège de la Police des Questions juives, et l'a envoyé au dépôt. Les fantômes reviennent hanter les personnages

---

58. *Quartier perdu*, Paris, Gallimard, coll. «Blanche», 1984; rééd., coll. «Folio», 1988, p. 184.
59. *Livret de famille*, *op. cit.*, p. 117.
60. *Ibid.*, p. 118.

de Modiano. Le narrateur imagine lui murmurer cette phrase: «Toujours rue Greffulhe?» Mais il renonce car: «*À supposer qu'il fût vraiment D.—et j'en étais de moins en moins sûr—je savais d'avance qu'en entendant ma petite phrase, il me considérait d'un œil vitreux. Elle ne lui évoquerait plus rien. La mémoire elle-même est rongée par un acide et il ne reste plus de tous les cris de souffrance et de tous les visages horrifiés du passé que des appels de plus en plus sourds, et des contours vagues. Suisse du cœur.*»[61] Le narrateur se doute que les criminels sont les plus prompts à oublier et envie peut-être un pareil apaisement. Les héros de Modiano ne connaissent, eux, qu'un repos provisoire, qu'une léthargie éphémère. S'ils rêvent encore d'oubli, c'est que les trous de leur mémoire ne cessent de leur rappeler leur incapacité à ressusciter tout à fait le passé, à l'exorciser complètement.

Contrairement à Proust, Modiano n'accorde pas à ses héros le bonheur d'un «temps retrouvé». Le vécu total ne revient jamais. Des bribes de passé flottent dans la mémoire des personnages qui échouent à les réunir. Les revenants de Modiano ne disposent que d'une mémoire lacunaire. On pense bien sûr au détective amnésique de *Rue des boutiques obscures*, mais aussi au narrateur, auteur de romans policiers, de *Quartier perdu*. Celui de *Chien de printemps* (1993) semble nous dire qu'il est impossible d'achever ses souvenirs, impossible de finir le puzzle et impossible aussi de brûler ses pièces. Pourtant il s'obstine, comme tous les personnages de Modiano, tiraillés entre mémoire et oubli, incapables d'atteindre tout à fait l'un ou l'autre, incapables donc de se libérer du passé. «*Quand le jour se prolonge jusqu'à dix heures du soir, à cause de l'heure d'été et que le bruit de la circulation s'est*

---

61. *Ibid.*, p. 144.

tu, j'ai l'illusion qu'il suffirait que je retourne dans les quartiers lointains pour retrouver ceux que j'ai perdus et qui sont demeurés là-bas: hameau du Danube, poterne des Peupliers ou rue du Bois-des-Caures. Elle s'appuie du dos contre la porte d'entrée d'un pavillon, les mains dans les poches de son imperméable. Chaque fois que je regarde cette photo, j'éprouve une sensation douloureuse. Le matin, vous essayez de vous rappeler le rêve de la nuit, et il ne vous en reste que des lambeaux que vous voudriez rassembler mais qui se volatilisent. Moi, j'ai connu cette femme dans une autre vie et je fais des efforts pour m'en souvenir. Un jour, peut-être, parviendrai-je à briser cette couche de silence et d'amnésie.»[62]

Dans *Dora Bruder* (1997), Modiano, en quête des traces de la jeune fille de 1942 dans le Paris d'aujourd'hui, écrit: *«Je me suis dit que plus personne ne se souvenait de rien. Derrière le mur s'étendait un no man's land, une zone de vide et d'oubli. Les vieux bâtiments des Tourelles n'avaient pas été détruits comme le pensionnat de la rue de Picpus, mais cela revenait au même. Et pourtant, sous cette couche épaisse d'amnésie, on sentait bien quelque chose, de temps en temps, un écho lointain, étouffé, mais on aurait été incapable de dire quoi, précisément. C'était comme de se trouver au bord d'un champ magnétique, sans pendule pour en capter les ondes. Dans le doute et la mauvaise conscience, on avait affiché l'écriteau ‹Zone militaire. Défense de filmer ou de photographier›.»*[63] Sondant «cette couche épaisse d'amnésie», l'écrivain ne peut rester sourd à cet «écho lointain» venu du passé. *«J'ai l'impression d'être tout seul à faire le lien entre le Paris de ce temps-là et celui d'aujourd'hui, le seul à me souvenir de tous ces détails. Par moments, le lien s'amenuise et risque de se rompre, d'autres soirs la ville d'hier*

---

62. *Chien de printemps*, Paris, Éd. du Seuil, 1993, p. 43.
63. *Dora Bruder, op. cit.*, p. 131.

m'apparaît en reflets furtifs derrière celle d'aujourd'hui.»[64] nous confie-t-il. En 2003, Modiano déclare à un journaliste: *«Ce qui me motive, pour écrire, c'est retrouver des traces. Ne pas raconter les choses de manière directe, mais que ces choses soient un peu énigmatiques. Retrouver les traces des choses, plutôt que les choses elles-mêmes. C'est beaucoup plus suggestif que lorsque l'on aborde les choses de face. Comme une statue mutilée... on a tendance à la reconstituer. La suggestion est plus grande.»*[65] Il poursuit, avec l'humilité de celui qui craint sans doute qu'on ne lui fasse endosser un costume qu'il croit trop grand pour lui, celui de l'auteur de *La Recherche du temps perdu*: *«Le génie de Proust, c'est d'arriver à retrouver le passé, alors que moi, je n'arrive qu'à retrouver des traces. Je n'ai pas cette force qui permet de ressusciter les événements ou les gens, j'arrive juste un peu à éclaircir ce qui est obscur.»*[66] Déjà dans *Dora Bruder*, il notait: *«En écrivant ce livre, je lance des appels, comme des signaux de phare dont je doute malheureusement qu'ils puissent éclairer la nuit. Mais j'espère toujours.»*[67] Retrouver des traces, éclairer la nuit, sont les images qui disent le mieux l'art romanesque de Modiano, son art d'écrire du passé, de la mémoire et de l'oubli qui menace et protège aussi. Elles apparaissaient dans la bouche du narrateur de son troisième roman, *Les Boulevards de ceinture* (1972), qui nous disait, à propos des compagnons de dérive de son père: *«Je consignais, sur de petites fiches, les renseignements que j'avais glanés. Je sais bien que le curriculum vitae de ces ombres ne présente pas un grand intérêt, mais si je ne le dressais pas aujourd'hui, personne ne s'y emploierait. C'est mon devoir, à moi qui les ai connus, de les sortir — ne fût-ce qu'un instant — de la nuit.*

---

64. *Ibid.*, p.50-51.
65. Entretien, *Lire*, octobre 2003.
66. Entretien, *Elle*, 6 octobre 2003.
67. *Dora Bruder*, *op. cit.*, p.42.

C'est mon devoir et c'est aussi, pour moi, un véritable besoin.»[68] Puis, s'adressant à son père: *«J'avais remonté le cours du temps pour retrouver et suivre vos traces. En quelle année étions-nous? À quelle époque? En quelle vie? Par quel prodige vous avais-je connu quand vous n'étiez pas encore mon père?»*[69] Dans *La Petite Bijou* (2001), la narratrice, qui, dans le métro, croit avoir reconnu sa mère disparue des années auparavant, nous confie: *«Une dernière fois, je voulais rassembler quelques pauvres souvenirs, retrouver des traces de mon enfance, comme le voyageur qui gardera jusqu'à la fin dans sa poche une vieille carte d'identité périmée.»*[70]

Les personnages de Modiano sont toujours plus ou moins clairement sur les traces de leur passé. Parfois, ils cherchent à l'oublier, mais la trace demeure sensible, en creux. Leur quête apparaît souvent, à un moment donné, insensée. Comme le dit le narrateur amnésique de *Rue des boutiques obscures* (1978): *«Pourquoi vouloir renouer des liens qui avaient été sectionnés et chercher des passages murés depuis longtemps?»*[71] Le récit de Guy Roland débute par cette phrase emblématique: *«Je ne suis rien. Rien qu'une silhouette claire, ce soir-là, à la terrasse d'un café.»*[72] Détective amnésique à qui son patron a fourni l'identité qu'il porte désormais, Guy a décidé de recouvrer sa mémoire. De là naît la quête harassante du passé, qui passe par de vieux Bottin et des témoins retrouvés. Plus le mystère s'éclaircit, plus la nuit demeure, persiste. Guy se reconnaît en Freddie Howard de Luz, puis en Pedro Mc Evoy, avant de se retrouver en un possible Jimmy Stern. La nuit n'est éclairée que momentanément par l'exercice de puzzle. Le narrateur comme le lecteur ne peuvent que

---

68. *Les Boulevards de ceinture, op. cit.*, p. 66.
69. *Ibid.*, p. 131.
70. *La Petite Bijou*, Paris, Gallimard, coll. «Blanche», 2001; rééd., coll. «Folio», 2002, p. 44.
71. *Rue des boutiques obscures, op. cit.*, p. 63.
72. *Ibid.*, p. 11.

se raccrocher à ces traces éphémères qui disent l'évanescence d'une vie, celle de nos existences, mélanges de mémoire et d'oubli. Dans *Quartier perdu* (1984), Ambrose Guise ressent physiquement la difficulté de sa tâche, celle de retrouver le passé de ses vingt ans: «*Vingt années de ma vie, d'un seul coup, abolies. Ambrose Guise n'existait plus. J'étais revenu au point de départ, dans la poussière et la chaleur de Paris. Au moment de rentrer à l'hôtel, une angoisse m'a contracté l'estomac: on ne revient jamais au point de départ. Quel témoin se souvenait encore de ma vie antérieure, du jeune homme qui errait à travers les rues de Paris et s'y confondait?*»[73] Auteur de romans policiers, le narrateur se lance dans une exploration lente et inquiétante de tout un quartier perdu de la mémoire. Or un tel voyage n'évite pas l'enlisement: «*Il faisait beau à Klosters, mais moi, je devais maintenant descendre au fond d'un puits pour chercher, à tâtons, quelque chose, dans l'eau noire.*»[74] Que ce «quelque chose» reste bien indéterminé importe peu. Ce qui compte, dans la quête entreprise par les héros de Modiano, c'est moins la découverte d'un illusoire point d'arrivée ou point de départ que le chemin entrepris. Ce qu'il nous raconte, c'est alors moins le passé que la quête de ses traces.

Mais la mémoire est défaillante, les témoins du passé en fuite ou peu fiables. Les personnages, comme leur créateur, ont donc recours aux documents du passé. Dans *Villa triste* (1975), on lit ainsi à propos des photos du passé: «*Voilà les seules images nettes. Une brume nimbe tout le reste. Hall et chambre de l'Hermitage. Jardins du Windsor et de l'hôtel Alhambra. Villa Triste. Le Sainte-Rose. Sporting. Casino. Houligant. Et les ombres de Kustiker (mais qui était Kustiker?), d'Yvonne Jacquet et*

---

73. *Quartier perdu, op. cit.*, p. 13.
74. *Ibid.*, p. 88.

d'un certain comte Chmara.»[75] *Les Boulevards de ceinture* (1972) débute par l'observation d'une image qui va permettre au narrateur de tenter de reconstituer l'histoire. Le narrateur de *Rue des boutiques obscures* (1978) appuie son enquête sur une vieille photo retrouvée. Celui de *Dimanches d'août* (1986) est un ancien photographe. Dans *Chien de printemps* (1993), le narrateur entreprend de classer des milliers de photos qu'a faites un ami. Il justifie ainsi cette tâche: *«Moi, je ne plaisantais pas. Si je m'étais engagé dans ce travail, c'est que je refusais que les gens et les choses disparaissent sans laisser de trace. Mais pouvons-nous jamais nous y résoudre?»*[76] Quand ce ne sont pas les photos, d'autres objets peuvent aider à retrouver des traces. Il y a ces innombrables coupures de presse, ces rapports de police, ces stocks de vieux magazines, ces annuaires hors d'âge dont le Victor Chmara de *Villa triste* a chargé ses valises, tous ces documents surannés que tant de personnages conservent avec soin. Si ces indices, ces preuves du passé ne suffisent pas, la reconstitution fictive vient y suppléer. Écoutons le narrateur des *Boulevards de ceinture*: *«Je pense en ce moment à la vanité de mon entreprise. On s'intéresse à un homme, disparu depuis longtemps. On voudrait interroger les personnes qui l'ont connu mais leurs traces sont effacées avec les siennes. Sur ce qu'a été sa vie, on ne possède que de très vagues indications souvent contradictoires, deux ou trois points de repère. Pièces à conviction? un timbre-poste et une fausse légion d'honneur. Alors il ne reste plus qu'à imaginer. Je ferme les yeux.»*[77]

---

75. *Villa triste, op. cit.*, p. 163.
76. *Chien de printemps, op. cit.*, p. 35.
77. *Les Boulevards de ceinture, op. cit.*, p. 136.

Des aquariums

«J'attache sans doute une trop grande importance à la topographie.»[78]

«J'étais dans une grande cage de verre. J'ai regardé autour de moi. D'autres cages de verre contenaient des aquariums. [...] Dans les aquariums, il me semblait que des ombres s'agitaient, peut-être des poissons. J'entendais un bruit de plus en plus fort de cascades. J'avais été prise dans les glaces, il y a longtemps, et maintenant elles fondaient avec un bruit d'eau. Je me demandais quelles pouvaient bien être ces ombres dans les aquariums. Plus tard, on m'a expliqué qu'il n'y avait plus de place et qu'on m'avait mise dans la salle des bébés prématurés. J'ai entendu longtemps encore le bruissement des cascades, un signe que pour moi aussi, à partir de ce jour-là, c'était le début de la vie.»[79]

En 2001, alors qu'on l'interroge sur l'espace essentiellement urbain de ses romans, Patrick Modiano déclare: *«Quand j'étais plus jeune, j'ai été fasciné par les romans de Thomas Hardy ou de Tourgueniev, tous les grands romans russes et anglais ancrés dans des paysages de campagne. Mais je crois que je suis vraiment trop un enfant des villes...»* Il ajoute: *«Le Paris qui est présent dans mes livres est lié à des sensations que j'ai reçues quand j'étais assez jeune, et qui peuvent se recouper avec un Paris des années cinquante et soixante. Mais ces sensations semblent avoir fait l'objet d'une métamorphose, une sorte de processus chimique qui a participé à l'élaboration d'un paysage intérieur, une ville métaphysique.»*[80]

---

78. *Accident nocturne, op. cit.*, p. 50.
79. Dernier paragraphe de *La Petite Bijou, op. cit.*, p. 169.
80. Entretien, «Patrick Modiano en sa ville intérieure», *La Croix*, 2001.

C'est à ce paysage intérieur que nous allons nous intéresser, en prenant pour repère l'image de l'aquarium. Modiano utilise en effet, dans plusieurs de ses romans, cette image pour dire les murs de verre qui bloquent ses héros dans les mêmes lieux, les mêmes rues, les mêmes entrées d'immeubles. Mais ses personnages ressemblent aussi aux poissons de l'aquarium par leur éternel mouvement, leur volonté de fuir et leur fatalité à tourner en rond. Ils offrent néanmoins le mystère de leur phosphorescence. Les villes-aquariums de Modiano sont phosphorescentes. Elles ouvrent vers d'autres lieux, d'autres temps, d'autres vies sur lesquelles rêver. Peuplées de fantômes du passé, elles sont à l'image de ces grands hôtels dans lesquels les héros de Modiano trouvent un refuge provisoire pour s'isoler d'eux-mêmes et finalement se retrouver encore.

Points de repère

«Au milieu de tant d'incertitudes, mes seuls points de repère, le seul terrain qui ne se dérobait pas, c'était les carrefours et les trottoirs de cette ville où je finirais sans doute par me retrouver seul.»[81] En 1973, Patrick Modiano note: *«Pour mes romans, j'ai absolument besoin de localiser l'action. Au départ, il y a un certain cadre qui ne correspond pas d'ailleurs forcément au titre (quoique celui-ci ait toujours une résonance topographique).»*[82] Il fait alors référence à ses trois premiers livres, dont les titres sont empreints de la même circularité, la même délimitation spatiale: *La Place de l'Étoile* (1968), *La Ronde de nuit* (1969) et *Les Boulevards de ceinture* (1972). Ses titres n'ont plus «toujours une résonance

---

81. *Les Boulevards de ceinture, op. cit.*, p. 98.
82. Entretien, *Le Monde*, 24 mai 1973.

topographique». Mais depuis 1973, on relève quand même: *Villa triste* (1975), *Rue des boutiques obscures* (1978), *Mémory Lane* (1980), *Quartier perdu* (1984), *Vestiaire de l'enfance* (1989). En 1973, il précise: «*Pour* La Place de l'Étoile, *c'était beaucoup moins Paris que Bordeaux (Les Chartrons, François Mauriac) et Vienne (l'Autriche-Hongrie, la première ville germanique que j'ai connue) qui m'ont inspiré. Pour* Les Boulevards de ceinture, *c'est Barbizon. Pour* La Ronde de nuit, *le seizième arrondissement de Paris [...] plein de maisons 1930 un peu bizarres, d'hôtels particuliers qui ont l'air abandonnés. [...] sous l'occupation, les officiers de la Gestapo et toute une faune interlope y avaient élu leurs repaires.*»[83] Chaque roman de Modiano porte la marque d'un site particulier. C'est ce qui les distingue les uns des autres et les réunit. Il y a la station thermale, au bord d'un lac, en Haute-Savoie qui abrite la Villa triste du docteur Meinthe. Il y a le Paris de *Quartier perdu*. Il y a le Nice de *Dimanches d'août*. Il y a le village près de Paris, la rue du Docteur-Dordaine de *Remise de peine*. Il y a cette ville du Sud, qui ressemble à Tanger, de *Vestiaire de l'enfance*. Il y a la rive droite parisienne que Modiano arpente à la recherche de Dora Bruder et La Petite Bijou à la recherche de sa mère. Mais l'action de chaque roman s'organise aussi à partir de quelques lieux-phares, au sens propre de points de repère. Dans *Une Jeunesse*, il y a ainsi le buffet de la gare Saint-Lazare où Louis et Odile se rencontrent, le garage de Béjardy, la Cité universitaire, où ils voient Brossier et Jacqueline, l'Angleterre et puis le départ à Genève et Annecy et la fuite sur la Côte d'Azur. Dans *Quartier perdu*, le narrateur quitte un moment Paris pour achever sa quête à La Varenne-Saint-Hilaire, lieu dont il sera à nouveau

---

83. *Ibid.*

question dans *Dimanches d'août*. Dans *Voyage de noces*, Paris est représenté par la Cité-Véron, les hôtels périphériques et le boulevard Soult, mais le narrateur se trouve aussi à Milan, Juan-les-Pins et Saint-Raphaël. Dans *Du plus loin de l'oubli*, le narrateur, après avoir quitté Paris pour Londres, y revient et finit par y revenir encore en suivant le trajet du train qui vient de la banlieue sud.

De ce relevé, on retient qu'il s'agit de lieux urbains et que Paris est le point de repère principal, le lieu où l'on finit toujours par revenir. Ainsi, l'exilé de *Vestiaire de l'enfance* se souvient de Paris et ramène à lui l'avenue Junot et le bois de Vincennes. Pour se représenter le paysage intérieur de Patrick Modiano, son *Livret de famille*, qui mêle autobiographie et souvenirs imaginaires offre une carte éclairante. On y trouve la banlieue ouest de Paris, Anvers et Bruxelles, la Sologne, Port-Cros, Biarritz, Lausanne, Rome, la Tunisie, le quai de Conti et Nice. Les personnages de Modiano arpentent ces différents lieux. On suit leurs pérégrinations à la trace. *Une jeunesse* nous convie à un véritable repérage cinématographique d'un Paris ignoré. Louis et Odile nous mènent dans les recoins de Saint-Lazare et les terrains vagues de Javel, nous montrent autrement la Grande-Armée, Junot, Magenta et les gares du Nord et de l'Est. Le roman se fait itinéraire d'une cavale toujours possible. La ville est escapade. On lit à propos d'Odile et Louis: *«Ils ne savent pas que c'est leur dernière promenade dans Paris. Ils n'ont pas encore d'existence individuelle et se confondent avec les façades et les trottoirs. Sur le macadam, rapiécé comme un vieux tissu, sont inscrites des dates pour indiquer les coulées de goudron successives, mais peut-être aussi des naissances, des rendez-vous, des morts. Plus tard, quand ils se souviendront de cette période de leur vie, ils reverront des carrefours et des entrées d'immeubles. Ils en ont capté tous les reflets. Ils n'étaient que des bulles irisées aux couleurs de cette ville: gris et noir.»*[84]

Les mêmes lieux reviennent dans les romans, ni tout à fait autres, ni tout à fait les mêmes. Mais ce qui persiste aussi, c'est la volonté de fuir des différents personnages. Jean B., le narrateur de *Voyage de noces*, nous dit à propos de son «besoin de fuir»: *«Je le sentais en moi, plus violent que jamais. Là, dans cet avion qui me ramenait à Paris, j'avais l'impression de fuir encore plus loin que si je m'étais embarqué, comme je l'aurais dû, pour Rio.»*[85] Le roman dresse la liste des avenues, des hôtels et des brasseries de la Porte de Champerret à celle de Bagnolet. Ce sont des zones de repli où l'on est moins prisonnier qu'au centre de la ville, d'où l'on peut fuir en quelques pas. Dans *Du plus loin de l'oubli*, le narrateur déclare: *«Mes seuls bons souvenirs jusqu'à présent, c'étaient des souvenirs de fuite.»*[86] Un bâtiment illustre chez Modiano cette volonté de fuir, ce besoin d'en garder la possibilité. C'est la gare. Dès *Les Boulevards de ceinture*, ce motif apparaît avec l'intérêt du père pour la Petite Ceinture, ligne de chemin de fer désaffectée qui fait le tour de Paris. Le narrateur s'interroge: *«Quel rêve poursuivait-il? Peut-être attendait-il un train qui ne passerait jamais?»*[87] Des personnages de Modiano réussissent à monter dans les trains. C'est le cas de Victor Chmara à la fin de *Villa triste*, mais il doit laisser Yvonne derrière lui. C'est le cas aussi du narrateur de *Quartier perdu*; mais âgé de vingt ans, il est alors encombré des nombreuses valises de Carmen Blin. Tout se passe comme si les héros de Modiano échouaient toujours à se faire voyageurs sans bagage, à accéder vraiment à la liberté de la fugue. Et puis il y a

---

84. *Une jeunesse, op.cit.*, p.180.
85. *Voyage de noces, op.cit.*, p.17.
86. *Du plus loin de l'oubli, op.cit.*, p.79.
87. *Les Boulevards de ceinture, op.cit.*, p.98.

ceux, plus nombreux, qui ont conscience de leur incapacité à fuir et cherchent pourtant à en maintenir la possibilité. La deuxième narratrice de *Des inconnues* est de ceux-là: *«La nuit, j'entrais dans le hall de la gare et je m'asseyais sur un banc du quai d'où partait le train pour Paris. Je me persuadais que j'allais le prendre et laisser derrière moi tout ce qui avait été ma vie jusque-là. Mais, à la différence de Sylvie, une fois arrivée à Paris, j'aurais voulu fuir encore plus loin, dans un pays où l'on ne parle pas français, pour couper définitivement les ponts. Je retournais dans ma chambre. Sur le chemin, rue Royale, j'éprouvais un découragement. Je resterais engluée jusqu'au bout dans cette ville et je ne rencontrerais jamais personne qui puisse m'entraîner ailleurs. Et l'élan que je sentais en moi, j'avais peur qu'il s'affaiblisse, de jour en jour.»*[88]

Tous les personnages de Modiano semblent susceptibles de nous dire pourtant, comme La Petite Bijou: *«Si l'on habite près d'une gare, cela change complètement la vie. On a l'impression d'être de passage. Rien n'est jamais définitif. Un jour ou l'autre, on monte dans un train. Ce sont des quartiers ouverts sur l'avenir.»*[89] L'autre solution pour garder la possibilité de fuir est celle choisie par le narrateur de *Voyage de noces*, celle de s'installer aux portes de Paris, à la frontière. *Fleurs de ruine* s'achève ainsi sur ces mots: *«Pourquoi ne pas emmener ce chien à Vienne? Je me suis assis avec lui à une terrasse de café. C'était en juin. On n'avait pas encore creusé la tranchée du périphérique qui vous donne une sensation d'encerclement. Les portes de Paris, en ce temps-là, étaient toutes en lignes de fuite, la ville peu à peu desserrait son étreinte pour se perdre dans les terrains vagues. Et l'on pouvait croire encore que l'aventure était au coin de la rue.»*[90] La troisième narratrice *Des inconnues* semble nourrir le même espoir quand elle déclare:

88. *Des inconnues*, op. cit., p. 87.
89. *La Petite Bijou*, op. cit., p. 81.
90. *Fleurs de ruine*, op. cit., p. 142.

«*Je me disais que ce n'était pas un hasard si j'avais échoué seule aux portes de Paris. J'étais arrivée à proximité d'une frontière, j'étais en transit pour quelque temps encore, mais j'allais bientôt franchir la frontière et connaître une nouvelle vie.*»[91] Dans *Du plus loin de l'oubli*, le narrateur, quant à lui, nous confie: «*La perspective de disposer d'une voiture me réconfortait. J'aurais l'impression de pouvoir quitter Paris, à chaque instant, si je le voulais. Pendant ces quinze dernières années, je m'étais senti prisonnier des autres et de moi-même, et tous mes rêves étaient semblables: des rêves de fuite, des départs en train, que malheureusement je manquais.*»[92] On pense à la «liste des garages du XVIIe, avec une préférence pour ceux qui étaient situés à la lisière de l'arrondissement», dressée par le Patoche de *Remise de peine* à la recherche de Pagnon et de son père dans sa «longue et vaine recherche d'un garage perdu».[93]

Le voyage réel dépasse rarement le domaine de l'intention. Il y a pourtant dans *Une jeunesse* et *Du plus loin de l'oubli* deux voyages réalisés à Londres. Dans les autres romans, le changement de pays reste en projet: l'Amérique dans *Villa triste*, l'Italie dans *Rue des boutiques obscures* ou *Un cirque passe*, le Brésil dans *Voyage de noces*. Aucune de ces destinations ne sera atteinte et les personnages devront se contenter des seules virtualités du voyage. L'arpentage répété d'un même espace constitue dès lors un des aspects les plus notables des récits. Beaucoup de personnages pourraient faire le même constat que la deuxième narratrice de *Des inconnues*: «Le concierge m'avait dit: ‹Vous irez loin›, mais depuis des années je tournais en rond, sans pouvoir sortir du cercle…»[94] Incapables de fuir, de se fuir, ils cherchent alors un asile

---

91. *Des inconnues, op. cit.*, p. 120.
92. *Du plus loin de l'oubli, op. cit.*, p. 152.
93. *Remise de peine, op. cit.*, p. 123.
94. *Des inconnues, op. cit.*, p. 97.

dans des lieux anonymes. On pense au village anonyme de Seine-et-Marne, à la marginalisation symbolique, où se sont réfugiés les personnages des *Boulevards de ceinture*. Il s'agit de trouver des lieux neutres dans lesquels l'enfermement se fera moins sentir, dans lesquels on peut cesser d'être soi car on ne risque pas d'y être identifié, ramené au passé. La Suisse joue ce rôle. On lit ainsi dans *Livret de famille*: «*[...] tout était mirage, tout était dépourvu de la moindre réalité dans ce pays. On était à l'écart – comme disait Muzzli – de ‹la souffrance du monde›. Il n'y avait plus qu'à se laisser submerger par cette léthargie que je m'obstinais à appeler: la Suisse du cœur.*»[95] Dans *Un pedigree*, Modiano écrit à propos de son père: «*Trente années plus tard, il est allé mourir en Suisse, pays neutre. [...] Ce qu'il a cherché en vain, c'était Eldorado. Et je me demande s'il ne fuyait pas les années de l'Occupation. [...] Mais on ne doit pas parler à la place d'un autre et j'ai toujours été gêné de rompre les silences même quand ils vous font mal.*»[96] La Cité universitaire de Paris apparaît également comme une «zone neutre». On lit à son propos dans *Fleurs de ruine*: «*Un endroit de villégiature, ou l'une de ces concessions internationales comme il en existait à Shanghai. Cette zone neutre, à la lisière de Paris, assurait à ses résidents l'immunité diplomatique. Quand nous franchissions la frontière – avec nos fausses cartes d'identité –, nous étions à l'abri de tout.*»[97]

Le narrateur de *La Ronde de nuit* trouve, lui, refuge dans les squares parisiens. «*Il y a des endroits qui incitent à la méditation. Les squares par exemple, principautés perdues dans Paris, oasis malingres au milieu du vacarme et de la dureté des hommes.*»[98] Mais les endroits bruyants, les cafés, les restaurants et les cabarets, peuvent aussi abriter la solitude et l'échec à fuir

95. *Livret de famille*, op. cit., p. 145.
96. *Un pedigree*, op. cit., p. 32-33.
97. *Fleurs de ruine*, op. cit., p. 55-56.
98. *La Ronde de nuit*, op. cit., p. 90.

des héros de Modiano et leur faire rencontrer d'autres emmurés. Dans *La Place de l'Étoile*, Raphaël rencontre Lévy-Vendôme au Dubern, restaurant bordelais. Dans *La Ronde de nuit*, Swing Troubadour est recruté par le Khédive au Royal-Villiers. Dans *Les Boulevards de ceinture*, Le Clos-Foucré abrite la plupart des entrevues de Serge Alexandre avec Murraille. À la recherche d'Annie Murraille, la veille de son mariage, les personnages consultent la liste des cabarets à la mode qu'elle fréquente: *«Chez Tonton, Trinité 87.42. Au Bosphore, Richelieu 94.03. El Garron, Vintimille 30.54, L'Étincelle… […] Poisson d'Or, Odéon 90.95 […] Le Doge, Opéra 95.78. Chez Carrère, Balzac 59.60. Les Trois Valses, Vernet 15.27, Au Grand Large…»*[99] L'action de *Lacombe Lucien* prend place essentiellement autour de L'hôtel-restaurant des Grottes. Dans *Dimanches d'août*, on lit: *«Depuis des jours et des jours, nous restions immobiles, Sylvia et moi, dans des lieux de passage: salles et bars d'hôtels, terrasses de cafés de la Promenade des Anglais… Il me semble, aujourd'hui, que nous tissions une gigantesque et invisible toile d'araignée et que nous attendions que quelqu'un s'y prenne.»*[100] Dans *Voyage de noces*, Ingrid Teyrsen, lors de sa fugue qui préfigure celle de Dora Bruder, se réfugie dans un salon de thé et y rencontre Rigaud. Dans *Un cirque passe*, le narrateur se rend dans le cabaret La Tomate et, dix ans plus tard, cherchera des réponses dans un café près du Cirque d'Hiver. Dans *Du plus loin de l'oubli*, on se donne rendez-vous au café Dante. Dans *Un pedigree*, Modiano écrit aux dernières pages: *«Parmi les points de repère de ma vie, les étés compteront toujours, bien qu'ils finissent par se confondre, à cause de leur midi éternel. […] La Garde-Freinet. C'est là, à la terrasse du café-restaurant,*

---

99. *Les Boulevards de ceinture*, *op. cit.*, p. 137-138.
100. *Dimanches d'août*, *op. cit.*, p. 49.

à l'ombre, que j'ai commencé mon premier roman, un après-midi.» [101]
Incapables de fuir, les héros de Modiano trouvent des refuges provisoires où ils peuvent continuer à observer les autres, ces inconnus entraperçus que Modiano fait ressurgir, lui qui déclare en 2001 : *«Les villes sont de gigantesques croisements d'anonymes, et cette multitude de visages croisés et qui resteront pourtant des inconnus, cela a toujours provoqué en moi l'imagination. Une sorte de désir d'essayer d'identifier les gens et de rendre compte de ce foisonnement d'existences : une envie de ramener à la surface ce qui s'est perdu dans cet anonymat, les visages et les gestes entrevus.»* [102]

«Phosphorescence»

«Nous entrons tous les deux. Nous n'osons pas aller plus loin que le grand platane. L'herbe luit d'une phosphorescence vert pâle.» [103] En 2003, Patrick Modiano déclare: *«J'aime voir dans des choses et des lieux qui paraissent banals un mystère qu'a priori la plupart des gens ne verraient pas – ou qui n'existe peut-être pas. Il y a un petit nombre de lieux qui m'attirent, auxquels je reviens toujours. [...] ces quartiers de Paris [...] exercent pour moi une sorte de magnétisme, de mystère frappant.»* [104] Quand on l'interroge sur ce magnétisme, il répond qu'il s'agit pour lui de «trouver une sorte de surréalité à des choses banales, à des décors». Alors qu'on lui demande pourquoi rechercher cette réalité, il confie qu'il a l'*«impression que la vraie réalité de cette chose se trouve dans cette surréalité. Il y a une sorte de phosphorescence qui*

---

101. *Un pedigree, op. cit.*, p. 116.
102. Entretien, *La Croix*, 2001.
103. *De si braves garçons, op. cit.*, p. 186.
104. Entretien, *Magazine littéraire*, octobre 2003, p. 70.

ne vient pas forcément de moi mais qui vient de la chose elle-même».[105] Or cette phosphorescence n'est pas sans rappeler la lumière d'aquarium que Modiano se plaît à évoquer au détour d'une page d'un de ses romans. On lit dans *Villa triste* à propos d'Yvonne: «*Sa peau avait pris une teinte opaline. L'ombre d'une feuille venait tatouer son épaule. Parfois elle s'abattait sur son visage et l'on eût dit qu'elle portait un loup. L'ombre descendait et lui bâillonnait la bouche. J'aurais voulu que le jour ne se levât jamais, pour rester avec elle recroquevillé au fond de ce silence et de cette lumière d'aquarium.»*[106] La même atmosphère de paix apparaît lors de l'évocation de la maison du docteur René Meinthe. Elle est retranscrite par des images aquatiques qui assimilent la demeure à un aquarium. Victor Chmara note ainsi: «*VILLA TRISTE [...] j'ai fini par comprendre que Meinthe avait eu raison si l'on perçoit dans la sonorité du mot ‹triste› quelque chose de doux et de cristallin. Après avoir franchi le seuil de la villa, on était saisi d'une mélancolie limpide. On entrait dans une zone de calme et de silence. L'air était plus léger. On flottait.»*[107]

Dans les romans de Modiano, les lieux sont de deux natures. Il y a les lieux «morts» et les lieux «phosphorescents». Mais on échoue à trouver une délimitation nette, tranchée. Les lieux «morts», par les fantômes qu'ils appellent, deviennent volontiers des lieux «phosphorescents», habités, des lieux où affleure le passé enfoui, des lieux qui ouvrent vers d'autres lieux et d'autres temps. Dans *Quartier perdu*, Ambrose Guise, de retour en France, après vingt ans d'absence, découvre un décor où deux villes nocturnes coexistent sous la chaleur de juillet. Il y a la tour de verre de la Porte Maillot qui symbolise une ville lisse et abstraite à l'efficacité

---

105. Entretien, *Lire*, octobre 2003, p. 101.
106. *Villa triste, op. cit.*, p. 39.
107. *Ibid.*, p. 150.

commerciale, celle morte des monuments touristiques. Le narrateur nous dit: «*Je n'avais jamais connu une telle chaleur la nuit, à Paris, et cela augmentait encore le sentiment d'irréalité que j'éprouvais au milieu de cette ville fantôme. Et si le fantôme, c'était moi? Je cherchais quelque chose à quoi me raccrocher.*»[108] Il y a aussi la ville enfouie, le Paris de sa jeunesse, de l'époque où il s'appelait encore Jean Dekker. Des personnages relient les deux époques. On pense à Ghita Wattier, à «Tintin» Carpentiari, le chauffeur devenu accessoiriste de cinéma, à l'Anglais Hayward, désormais guide touristique, et à la mystérieuse jeune fille qui n'en est plus une. Dans son roman suivant, *Dimanches d'août*, Nice est présentée comme une «ville de fantômes où le temps s'est arrêté».[109] Dans *Des inconnues*, la narratrice du deuxième récit nous décrit Annecy avec cette même impression d'immobilisation inquiétante: «*Une lumière aussi, à l'entrée du cinéma. Le jet d'eau était arrêté. Pas une seule voiture. Tout était silencieux. À part les silhouettes derrière la baie vitrée, on aurait dit qu'il n'y avait plus que moi dans la ville. J'éprouvais une sensation de vide. La panique est revenue. J'étais seule. Je n'avais plus aucun recours dans cette ville morte.*»[110] Plus aucun recours? Il semble qu'il en reste un: rejoindre les silhouettes derrière la baie vitrée, rentrer dans l'aquarium et sa phosphorescence qui rappelle les absents et les empêche d'être tout à fait morts, tout à fait perdus.

À propos de son rapport à l'espace, Patrick Modiano précise en 2003: «*Tous ces lieux, ces adresses sont des points de repère dans la saisie des choses fuyantes, absentes. L'absence est un état que j'essaie d'exprimer, or l'absence est d'autant plus frappante quand vous savez que telle personne était présente, à un moment*

108. *Quartier perdu*, op. cit., p. 11.
109. *Dimanches d'août*, op. cit., p. 96.
110. *Des inconnues*, op. cit., p. 75.

donné, à tel endroit.» [111] Les lieux qui fascinent ses personnages sont pour eux des points de repère, des points de lumière dans l'obscurité. À propos de Louis, on lit dans *Une jeunesse*: *«[...] les deux endroits qui avaient été comme les centres de gravité de la vie de ses parents n'existaient plus. Une angoisse le cloua au sol. Des pans de murs s'écroulaient lentement sur sa mère et sur son père, et leur chute interminable soulevait des nuages de poussière qui l'étouffaient. Cette nuit-là, il rêva que Paris était un creux noir qu'éclairaient seulement deux lueurs: le Vel'd'Hiv' et Tabarin. Des papillons affolés voletaient un instant autour de ces lumières avant de tomber dans le creux. Ils formaient peu à peu une couche épaisse dans laquelle Louis marchait en s'enfonçant jusqu'aux genoux. Et bientôt, papillon lui-même, il était aspiré par un siphon avec les autres.»* [112] Si le personnage se rêve papillon qui fait songer aux éphémères, les lieux dans les romans de Modiano semblent offrir à ceux qui les arpentent une trace du temps moins périssable que celle des souvenirs. Le narrateur de *Vestiaire de l'enfance* n'a pas son pareil pour se perdre dans les dédales des rues de sa ville-refuge qui ressemble à Tanger ou à Gibraltar, une ville où l'on parle espagnol, anglais, français et où l'on entend le muezzin. Sous la chaleur lourde, à la poursuite d'une jeune Française égarée qui lui rappelle une fillette connue vingt ans plus tôt, il retrouve d'autres lieux, les lieux parisiens d'avant un accident qui l'a mis en fuite. Les lieux qui attirent le papillon Modiano ont la lumière de leur mémoire. Il nous invite à rêver sur leur phosphorescence et à croire à la mémoire des lieux, même les plus banals. Si ces personnages échouent à fuir dans l'espace, les lieux eux-mêmes, et Paris en particulier, leur offrent la possibilité de fuir dans le temps. Chez Modiano, l'exploration du Paris

---

111. Entretien, *Magazine littéraire*, octobre 2003, p. 70.
112. *Une jeunesse, op. cit.*, p. 68.

des années 1960 ou de la fin du siècle permet de remonter le temps, puisque les lieux conservent la trace des souvenirs enfouis et des êtres absents. Cette présence de l'absence par les lieux prend toute son ampleur avec *Dora Bruder*. L'auteur y visite, plus de cinquante ans après les faits, la plupart des lieux qui jalonnèrent l'itinéraire de la petite fugueuse de l'avis de recherche du 31 décembre 1941. Il revient au 41, boulevard Ornano. Il écrit à propos des parents de Dora, Ernest et Cécile Bruder: *«Les années qui ont suivi leur mariage, après la naissance de Dora, ils ont toujours habité dans des chambres d'hôtel. Ce sont des personnes qui laissent peu de traces derrière elles. Presque des anonymes. Elles ne se détachent pas de certaines rues de Paris, de certains paysages de banlieue, où j'ai découvert, par hasard, qu'elles avaient habité. Ce que l'on sait d'elles se résume souvent à une simple adresse. Et cette précision topographique contraste avec ce que l'on ignorera pour toujours de leur vie – ce blanc, ce bloc d'inconnu et de silence.»*[113] Les déambulations et les avancées de l'écrivain-détective sont consignées. *«J'ai mis quatre ans avant de découvrir la date exacte de sa naissance: le 25 février 1926. Et deux ans ont encore été nécessaires pour connaître le lieu de cette naissance: Paris, XII* ᵉ *arrondissement. Mais je suis patient. Je peux attendre des heures sous la pluie.»*[114] Modiano nous conduit dans les quartiers de l'Est, ceux de l'internat religieux du Saint-Cœur-de-Marie que Dora a fui un soir d'hiver, et du camp des Tourelles où on l'a enfermée avant de l'envoyer à Drancy un jour d'été. *«Tous les deux, le père et la fille, quittèrent Drançy le 18 septembre, avec mille autres hommes et femmes, dans un convoi pour Auschwitz.»*[115] «Paris change! mais rien dans ma mélancolie/N'a bougé!» écrivait Baudelaire dans son «Cygne»

---

113. *Dora Bruder, op. cit.*, p. 27-28.
114. *Ibid.*, p. 14.
115. *Ibid.*, p. 143.

dédié à Victor Hugo, l'auteur des *Misérables* que Modiano évoque parce que le parcours de la fugue de Dora suit les mêmes pas que ceux de Cosette et de Jean Valjean dans leur fuite à travers Paris. De nouveaux immeubles se tiennent à la place de ceux d'hier. Le temps fait son œuvre. Modiano aussi. Il retrouve les traces de ceux qui sont passés par là. *«On se dit qu'au moins les lieux gardent une légère empreinte des personnes qui les ont habités. Empreinte: marque en creux ou en relief. Pour Ernest et Cécile Bruder, pour Dora, je dirai: en creux. J'ai ressenti une impression d'absence et de vide, chaque fois que je me suis trouvé dans un endroit où ils avaient vécu.»*[116] Il rend l'absente présente.

Les lieux résonnent encore des pas de ceux qui les ont visités. Le narrateur de *Rue des boutiques obscures* nous confie ainsi: *«Une impression m'a traversé, comme ces lambeaux de rêve fugitifs que vous essayez de saisir au réveil pour reconstituer le rêve entier. [...] Je crois qu'on entend encore dans les entrées d'immeubles l'écho des pas de ceux qui avaient l'habitude de les traverser et qui, depuis, ont disparu. Quelque chose continue de vibrer après leur passage, des ondes de plus en plus faibles, mais que l'on capte si l'on est attentif. Au fond, je n'avais peut-être jamais été ce Pedro McEvoy, je n'étais rien, mais des ondes me traversaient, tantôt lointaines, tantôt plus fortes et tous ces échos épars qui flottaient dans l'air se cristallisaient et c'était moi.»*[117] On lit encore dans *Fleurs de ruine* à propos des Champs-Élysées: *«Ils sont comme l'étang qu'évoque une romancière anglaise et au fond duquel se déposent, par couches successives, les échos des voix de tous les promeneurs qui ont rêvé sur ses bords. L'eau moirée conserve toujours ces échos, et par les nuits silencieuses, ils se mêlent les uns aux autres...»*[118] Ce qui rend les lieux phosphorescents, c'est que loin d'être

---

116. *Ibid.*, p. 28-29.
117. *Rue des boutiques obscures, op. cit.*, p. 124.
118. *Fleurs de ruine, op. cit.*, p. 103.

des lieux banals, ils permettent d'accéder à un autre niveau de réalité, à une surréalité peuplée d'échos qu'il faut se donner la chance d'entendre.

Comme chez Virginia Woolf, on trouve chez Modiano des effets de surimpression, de circulation entre des choses habituellement séparées. Si, dans ses romans, les époques se juxtaposent par effet de transparence, il en va de même pour les lieux. Les lieux qui fascinent les narrateurs sont ceux qui ont le pouvoir d'en évoquer d'autres, d'en faire ressurgir d'autres et de permettre ainsi la rêverie. Dès *Villa triste*, Victor Chmara s'interroge: «*Pourquoi, aux paysages de Haute-Savoie qui nous entouraient, se superpose dans ma mémoire une ville disparue, le Berlin d'avant-guerre?*»[119] Dans *Fleurs de ruine*, Paris prend le premier rôle et le narrateur y laisse cours à une mélancolie presque hallucinée. Il nous dit: «*Comme les Ursulines, le quartier du Montparnasse m'a évoqué le château de la Belle au bois dormant. J'avais éprouvé la même impression, à vingt ans, quand je logeais pour quelques nuits dans un hôtel de la rue Delambre: Montparnasse m'avait déjà semblé un quartier qui survivait à lui-même et qui pourrissait doucement loin de Paris. Quand il pleuvait rue d'Odessa ou rue du Départ, je me sentais dans un port breton, sous le crachin. De la gare, qui n'était pas encore détruite, s'échappaient des bouffées de Brest ou de Lorient.*»[120] Montparnasse n'est plus seulement un détour vers un port breton. Il en devient un. Montmartre et le décor du restaurant San Cristobal offrent, eux, comme une île caraïbe en pleine ville. Le quartier de Saint-Germain-des-Prés, qui ressurgit de l'enfance par un après-midi d'été au tournant de la rue Cardinale, tout droit sorti du temps où il ressemblait à la vieille ville de Saint-Tropez, sans les

---

119. *Villa triste, op. cit.*, p. 40.
120. *Fleurs de ruine, op. cit.*, p. 16-17.

touristes, permet un instant de croire que «de la place de l'église, la rue Bonaparte descendait vers la mer».[121]

Halls d'hôtel

«En quoi le Splendid différait-il du Claridge, du George V, de tous les caravansérails de Paris et d'Europe? Les palaces internationaux et les wagons Pullman me protégeraient-ils longtemps encore de la France? À la fin, ces aquariums me donnaient la nausée.»[122] Aux premières pages de *Voyage de noces*, le narrateur, en attente d'un train à Milan en plein mois d'août, «se réfugie» dans un grand hôtel anonyme: *«Les jours d'été reviendront encore mais la chaleur ne sera plus jamais aussi lourde ni les rues aussi vides qu'à Milan, ce mardi-là. C'était le lendemain du 15 août. [...] Cinq heures du soir. Quatre heures à attendre le train pour Paris. Il fallait trouver un refuge et mes pas m'ont entraîné à quelques centaines de mètres au-delà d'une avenue qui longeait la gare jusqu'à un hôtel dont j'avais repéré la façade imposante.»*[123] L'hôtel est ce lieu où le narrateur peut échapper à la solitude morne à laquelle le condamne le jour férié et surtout à la chaleur écrasante qui règne hors de cette «façade imposante». Le narrateur demeure dans l'anonymat, mais sa solitude n'est plus oppressante comme peut l'être celle d'un étranger dans une ville désertée. L'hôtel est un lieu où il n'est pas gênant d'être seul et où, semble-t-il, si on éprouve le besoin de parler, il y aura toujours le barman, interlocuteur par excellence, dans notre imaginaire, de toutes les solitudes. L'image du refuge dans lequel on ne risque rien est en outre présente

---

121. *Ibid.*, p. 89.
122. *La Place de l'Étoile, op. cit.*, p. 64.
123. *Voyage de noces, op. cit.*, p. 9.

dans la référence au «blockhaus»: *«Aujourd'hui [...] cet hôtel [m'évoque] un gigantesque blockhaus»*,[124] note le narrateur. Les murs épais du grand hôtel, ses longs couloirs qui creusent l'écart, protègent du reste du monde, ils placent celui qui y pénètre dans un monde «à part», «en marge» des inquiétudes du dehors. Grosse boîte, il incarne un dedans protecteur. Que ce soit pour se protéger de la chaleur, comme au début de *Voyage de noces* pour le narrateur du roman, ou de véritables dangers, tels les protagonistes que Modiano prend pour héros dans la suite du récit, le grand hôtel fait figure de refuge. C'est à l'hôtel Le Provençal de Juan-les-Pins que Modiano envoie se cacher ses héros juifs traqués par les Allemands, un vaste hôtel fermé. En fuite, les personnages rêvent à de nouvelles «oasis», d'autres grands hôtels où croire que la guerre n'existe pas, refuges contre la menace extérieure et l'histoire. Ainsi, on lit dans *Voyage de noces*: *«On faisait, à Juan-les-Pins, comme si la guerre n'existait pas. [...] On allait peut-être rouvrir l'Altitude 43, de Saint-Tropez, cet hôtel blanc qui ressemble à un paquebot échoué parmi les pins au-dessus de la plage de la Bouillabaisse. Là-bas, on serait à l'abri. Une angoisse fugitive se lisait sous le hâle des visages: dire qu'il faudrait sans trêve partir à la recherche d'un endroit que la guerre avait épargné et que ces oasis deviendraient de plus en plus rares...»*[125] Dans *Villa triste*, les grands hôtels de la station thermale sont présentés comme des refuges à l'intérieur même de cet univers ouaté qu'est la petite station thermale. *«En général, je passais mes journées dans le hall et les jardins du Windsor et finissais par me persuader que là, au moins, je ne risquais rien»*, peut-on lire aux premières pages de *Villa triste*.[126] Le grand hôtel offre

---

124. *Ibid.*
125. *Ibid.*, p. 56-57.
126. *Villa triste, op. cit.*, p. 15.

un abri aux égarés, aux fuyards, aux êtres en quête de stabilité. Cette stabilité se niche notamment dans la belle ordonnance qui règne dans ces lieux et que rien ne semble pouvoir venir troubler: «*Nous avons regagné l'hôtel en traversant une partie du jardin que je ne connaissais pas. Les allées de gravier y étaient rectilignes, les pelouses symétriques et taillées à l'anglaise. Autour de chacune d'elles flamboyaient des plates-bandes de bégonias ou de géraniums. Et toujours le doux, le rassurant murmure des jets d'eau qui arrosaient le gazon.*»[127]

Le cliché du grand hôtel, cette permanence des signes qui le constituent, cet hors-temps figé qu'il incarne, c'est sans doute cela qui suscite avant tout le sentiment de sécurité dont se bercent les «héros» de Modiano. Les lumières du luxe pourraient-elles donc être douces à l'œil de ces êtres qui apparaissent d'abord chercheurs d'ombre? Elles se font écho d'une réalité stable, imperturbable, et où, même dissimulé sous un drap, un lustre conserve sa présence. La façade imposante, le lustre et les fauteuils profonds du hall, le concierge, l'ascenseur, les couloirs interminables, l'intimité d'une chambre qu'on finira par quitter, sont autant de signes qui caractérisent le grand hôtel, son fonctionnement et son mode de représentation. Et même si Le Provençal n'est plus, dans *Voyage de noces*, que l'ombre de ce qu'il a été, il offre le spectacle bien huilé auquel le voyageur est habitué. «*[...] ils entraient dans le hall. La lumière étincelante du lustre leur faisait cligner les yeux. Le concierge se tenait en uniforme derrière le bureau de la réception. Il souriait et leur tendait la clé de leur chambre. Les choses reprenaient un peu de leur consistance et de réalité. Ils se trouvaient dans un vrai hall d'hôtel avec de vrais murs et un vrai concierge en uniforme.*»[128] On retrouve, dans *Dimanches*

---

127. *Ibid.*, p. 23.
128. *Voyage de noces*, *op. cit.*, p. 60-61.

d'août, l'idée d'un cérémonial qui se déroulerait de façon imperturbable et incarnerait une forme de stabilité dans un monde qui en manque fort. On y lit: «*Derrière nous, tout au fond, la porte métallique d'un ascenseur glissait lentement et laissait le passage à des clients de l'hôtel qui descendaient de leurs chambres. Ils s'asseyaient aux tables du bar. Chaque fois, je guettais le glissement lent et silencieux et l'apparition des clients comme j'aurais surveillé un système d'horlogerie dont la régularité me rassurait.*»[129] Le grand hôtel offre un éternel recommencement, un paradis d'inchangé. Le narrateur peut se glisser au sein de cet univers sans déranger la belle «horlogerie» qui le régit, horlogerie qui n'est pas seulement imperturbable, mais peut se retrouver partout où se dresse le théâtre qu'est un grand hôtel. Le narrateur de *La Place de l'étoile* ne nous dit pas autre chose quand il use d'une interrogation oratoire – «*En quoi le Splendid différait-il du Claridge, du George V, de tous les caravansérails de Paris et d'Europe?*»[130] – pour affirmer que tous les grands hôtels sont les mêmes, que de Paris à Londres rien ne change. Dans cet inchangé, on glisse son anonymat puisque le paradoxe des grands hôtels veut qu'on n'y soit jamais que quelqu'un de plus même si les signes de déférence précèdent chacun de nos pas.

Dans *Voyage de noces*, le narrateur se souvient de l'arrivée d'Ingrid et de Rigaud à Juan-les-Pins au printemps de 1942. Un seul étage de l'hôtel Le Provençal était demeuré ouvert. C'est dans le contexte de la France occupée que Modiano met en scène un palace qui ne l'est plus, où rien ne fonctionne plus comme auparavant, où tout semble avoir été mis au ralenti, où tout semble faible écho d'une splendeur passée: «*La salle à manger demeurait close [...].*» «*Le bar lui aussi ne*

---

129. *Dimanches d'août, op. cit.*, p. 59.
130. *La Place de l'Étoile, op. cit.*, p. 64.

fonctionnait plus.» «La plage privée de l'hôtel avec sa pergola et ses cabines de bains ne fonctionnait plus ‹comme en temps de paix› pour employer l'expression du concierge du Provençal.»[131] Ce n'est pas, comme dans Villa triste, le temps qui a fait son œuvre, mais l'Histoire, l'événement. Au Provençal, les lustres ont été plus vite enrobés dans les plis des draps. Mais la plongée dans ce monde en voie de disparition qu'abritent le grand hôtel et ses fastes perdus est la même. Dans Villa triste comme dans Voyage de noces, les couloirs labyrinthiques des palaces déchus font résonner le silence de fantômes qui s'éloignent. On lit dans Villa triste: «Il faudrait avoir le courage de traverser les halls obscurs et de gravir les escaliers. Alors peut-être s'apercevrait-on que personne n'habite ici»[132] et dans Voyage de noces: «La montée lente dans l'ascenseur, les paliers obscurs qui défilaient, laissant deviner des couloirs silencieux et interminables, des chambres dont il ne restait sans doute que le sommier des lits.»[133] L'agonie du Provençal pourrait-elle n'être que temporaire car circonstancielle? Modiano semble répondre par la négative alors qu'il écrit en décrivant la pénétration de «l'énorme masse blanche» par Ingrid et Rigaud: «L'ascenseur traversait lentement des paliers d'ombre et de silence où il ne s'arrêterait plus jamais.»[134]

Les grands hôtels où nous fait pénétrer Modiano semblent manquer de réalité, de consistance. Anonymes, ils sont de plus en proie à la déperdition de ce qui faisait leur splendeur passe-partout. Théâtres des apparences, où à Paris comme à Londres le même cérémonial se joue, ils nous sont aussi présentés comme ne pouvant même plus soutenir la fiction qui les régit. On lit dans Voyage de noces: «Le Provençal lui-même, dont la masse blanche se devinait au fond des ténèbres, était

131. Voyage de noces, op.cit., p. 56 et p. 58.
132. Villa triste, op.cit., p. 9.
133. Voyage de noces, op.cit., p. 59.
134. Ibid., p. 56.

un gigantesque décor en carton-pâte.»[135] De quoi pourrait-il protéger ceux qui s'y réfugient? Cette faillite du grand hôtel apparaît inexorable dans les romans de Modiano. Le narrateur de *Villa triste* note ainsi: «*Les chambres des ‹palaces› font illusion, les premiers jours, mais bientôt, leurs murs et leurs meubles mornes dégagent la même tristesse que ceux des hôtels borgnes. Luxe insipide, odeur douceâtre dans les couloirs, que je ne parviens pas à identifier, mais qui doit être l'odeur même de l'inquiétude, de l'instabilité, de l'exil et du toc.»*[136] L'inquiétude rattrape celui qui avait cru pouvoir se consoler de la vacuité du lieu. Le grand hôtel est un pauvre décor et non plus cette forteresse où les «errants» de Modiano avait cru trouver refuge. Le blockhaus n'est qu'un aquarium.

L'aquarium est un objet que l'on retrouve dans de nombreux romans. Or après Proust, comment ne pas songer à la salle à manger de l'hôtel de Balbec comparée à un grand aquarium? Chez Modiano, l'aquarium entretient des relations étroites avec le grand hôtel, tant au niveau de la description que des images que l'édifice engendre. Dans *Voyage de noces*, on croise un aquarium dans le restaurant d'un hôtel. Il n'y apparaît que comme un simple élément du décor: «*Le restaurant d'un hôtel. Un groupe de Japonais attendaient, pétrifiés, au milieu du couloir de la réception, avec leurs bagages. Le décor de la salle était résolument moderne: murs de laque noire, tables de verre, banquettes de cuir, spots lumineux au plafond. Nous étions face à face, et derrière la banquette où elle était assise, des poissons phosphorescents tournaient dans un grand aquarium.»*[137] Un simple élément

---

135. *Ibid.*, p. 60.
136. *Villa triste, op. cit.*, p. 149.
137. *Voyage de noces, op. cit.*, p. 115.

du décor? La salle à manger décrite par Modiano a tout de l'aquarium qu'elle abrite. Celui-ci ne serait donc jamais qu'une mise en abyme de ce lieu de verre lisse comme lui et illuminé par une lumière crue et artificielle; la salle à manger, une extension de cet abri où les poissons tournent en rond. Cette identification du grand hôtel en général – et non plus seulement de sa salle à manger – à l'aquarium parcourt les romans de Modiano. La « boîte » où les personnages viennent se réfugier ne leur offre pas seulement la liberté de la mise à l'écart, mais aussi l'enfermement de l'isolement. Dans *Dimanches d'août*, la baie vitrée de l'hôtel Negresco semble exercer une certaine fascination sur le narrateur: *«[...] je m'asseyais toujours face à la baie vitrée [...]. Le ciel clair et les palmiers contrastaient avec la demi-pénombre du bar.»* Cette fascination se transforme en angoisse: *«Mais au bout d'un moment, une inquiétude m'avait saisi, une impression d'étouffement. Nous étions prisonniers d'un aquarium, et nous regardions à travers sa vitre le ciel et la végétation du dehors. Nous ne pourrions jamais respirer à l'air libre.»*[138] Le grand hôtel peut donc être prison dorée, prison vitrée. L'aquarium où l'on peut pourtant encore jouir de la lumière du dehors se révèle prison, cage de verre. En faisant coexister l'intérieur et l'extérieur, il empêche l'oubli et renforce paradoxalement le sentiment d'étrangeté. Il est prison plus cruelle car on y voit encore le ciel. Le « héros » de *La Place de l'Étoile* affirme son dégoût pour ces prisons qui prennent des allures de palais et ne font jamais que lui faire sentir toujours plus amèrement son absence d'identité. *«À la fin, ces aquariums me donnaient la nausée»*[139] peut-on l'entendre affirmer.

Dans *Accident nocturne*, le narrateur nous confie: *«J'avais eu*

138. *Dimanches d'août., op. cit.* p. 59.
139. *La Place de l'Étoile, op. cit.*, p. 64.

des rendez-vous avec mon père dans ces halls d'hôtel qui se ressemblent tous et où le marbre, les lustres, les boiseries et les canapés sont en toc. On s'y trouve dans la même situation précaire que dans la salle d'attente d'une gare entre deux trains ou dans un commissariat avant l'interrogatoire.»[140] Dans *Villa triste*, Modiano déclinait déjà le motif de l'attente lié aux halls d'hôtel, halls de gare sans train et aux fauteuils un peu plus confortables. Les grands hôtels sont des lieux où l'on attend que la vie passe, que quelqu'un passe la porte à tambour, où l'on scrute tout au long des romans du siècle à travers la baie vitrée une réalité dont on s'est écarté. Un lieu où l'on attend bien souvent en vain, comme l'évoquent les souvenirs du narrateur de *Villa triste*: «*Vous rappelez-vous Lisbonne pendant la guerre? Tous ces types affalés dans les bars et le hall de l'hôtel Aviz, avec leurs valises et leurs malles-cabines, attendant un paquebot qui ne viendrait pas?*»[141] Lorsque le narrateur se souvient de sa première rencontre avec Yvonne, c'est dans l'attente qu'il se la représente: «*Elle était assise dans le hall de l'Hermitage, sur l'un des grands canapés du fond et ne quittant pas des yeux la porte-tambour, comme si elle attendait quelqu'un.*»[142] Le sentiment d'attente est intimement lié à celui de l'enfermement. On est condamné à l'attente comme à l'isolement. Pour les personnages de Modiano, les halls d'hôtels «ne sont que des salles d'attente».[143] Ils ne sont que des salles de transit pour ces exilés qui tournent en rond, prisonniers des parois de verre de leur ennui et de leur inconsistance.

Dans *La Place de l'Étoile*, le narrateur s'interroge sur la faculté des grands hôtels à l'isoler de ce qu'il cherche à fuir, cette France qui se refuse à lui: «*Les palaces internationaux et les wagons Pullman me protégeraient-ils longtemps encore de*

---

140. *Accident nocturne, op.cit.*, p. 163.
141. *Villa triste, op.cit.*, p. 18.
142. *Ibid.*, p. 21.
143. *Ibid.*, p. 149.

la France?»[144] Cette incapacité à être plus qu'une halte précaire, nous la retrouvons dans *Villa triste*. Le grand hôtel ne serait qu'un lieu de transit vécu comme tel par ceux qui s'y réfugient. Il serait toujours en instance d'être quitté, abandonné. C'est de cet éternel abandon que semblent s'imprégner ses couloirs, qui n'exhalent déjà plus pour le narrateur de *Villa triste* que l'odeur «douceâtre» de «l'exil». Le grand hôtel concentre ainsi en son sein l'angoisse majeure des héros de Modiano, celle de n'être jamais que des apatrides. Dans *Livret de famille*, le narrateur nous dit: «*Je pensais à mes parents. J'eus la certitude que si je voulais rencontrer des témoins et des amis de leur jeunesse, ce serait toujours dans des endroits semblables à celui-ci: halls d'hôtels désaffectés de pays lointains où flotte un parfum d'exil et où viennent échouer les êtres qui n'ont jamais eu d'assise au cours de leur vie, ni d'état civil très précis.*»[145] On lit dans *Villa triste*, à propos de l'existence de Rigaud et d'Ingrid: «*Il faut être prêt à partir d'un instant à l'autre et considérer chaque chambre où l'on échoue comme un refuge provisoire.*»[146] L'emploi du verbe «échouer», s'il évoque, dans ces deux extraits, l'image du bateau échoué que Modiano utilise dans *Voyage de noces* en comparant l'Altitude 43 à un «paquebot échoué», nous renvoie dans le même temps au constat d'une faillite. Or cette faillite qui colle aux murs des grands hôtels fait écho à toutes les autres. Aux dernières pages de *Villa triste*, le narrateur, qui se souvient de la fin de son histoire avec Yvonne et de son départ de L'Hermitage, note: «*Le jour venait et un souvenir léger m'a visité. Quand avais-je déjà vécu un pareil moment? Je revoyais les meublés du seizième ou du dix-septième arrondissement – rue du Colonel-Moll, square*

---

144. *La Place de l'Étoile*, *op. cit.*, p. 64.
145. *Livret de famille*, *op. cit.*, p. 204.
146. *Villa triste*, *op. cit.*, p. 52.

Villaret-∂e-Joyeuse, avenue ∂u Général-Balfourier – où les murs étaient ten∂us ∂u même papier peint que celui ∂es chambres ∂e L'Hermitage, où les chaises et les lits jetaient la même ∂ésolation au cœur. Lieux ternes, haltes précaires qu'il faut toujours évacuer avant l'arrivée ∂es Allemands et qui ne gar∂ent aucune trace ∂e vous.»[147] Le grand hôtel échoue à isoler du passé. N'échouerait-il pas tout particulièrement? En effet, on a jusqu'à présent observé le grand hôtel comme un refuge qui ne parviendrait finalement jamais à mettre à l'abri de leur histoire des êtres qui souffrent de leur identité. Le grand hôtel échoue à éloigner le passé. Pire, il le fait ressurgir.

Cet espace est essentiellement lié à la figure du père. Dans *La Place ∂e l'Étoile*, il constitue le lieu de rendez-vous privilégié de Raphaël et de son père éternellement en transit. Dans *Les Boulevards ∂e ceinture*, le narrateur se souvient que *«[son] père [...] [lui] ∂onnait rendez-vous ∂ans le hall ∂es grands hôtels [...]. Ces lieux ∂e passage convenaient à une âme vagabonde et fragile comme la sienne».*[148] Dans *Villa triste*, le narrateur, s'il ne se souvient pas du dernier lieu de rendez-vous avec son père, sait qu'il s'agissait d'un hall de grand hôtel, qu'il ne pouvait s'agir en quelque sorte que d'un hall de grand hôtel: *«[...] Windsor-Reynolds, un hôtel ∂e la rue Beaujon ∂ont je me souvenais bien: Mon père, avant son étrange ∂isparition, m'y ∂onnait rendez-vous (j'ai un trou ∂e mémoire: Est-ce ∂ans le hall ∂u Windsor-Reynolds ou ∂ans celui ∂u Lutetia que je l'ai vu pour la ∂ernière fois?).»*[149] *«Halls ∂'hôtels où mon père me ∂onnait rendez-vous, avec leurs vitrines, leurs glaces et leurs marbres et qui ne sont que ∂es salles ∂'attente»* lit-on encore dans *Villa triste*.[150] Dans *Du plus loin ∂e l'oubli*, on lit: *«Mon père me ∂onnait*

147. *Ibi∂.*, p.175.
148. *Les Boulevards ∂e ceinture, op.cit.*, p.94.
149. *Villa triste, op.cit.*, p.55.
150. *Ibi∂.*, p.149.

rendez-vous dans des arrière-salles de café, des halls d'hôtels ou des buffets de gare, comme s'il choisissait des endroits de passage pour se débarrasser de moi et s'enfuir avec ses secrets.»[151] Le grand hôtel, espace inextricablement lié au père, ne peut que se faire écho du passé, de ce père qui ne passe pas. Peut-être pourrait-on même lire ce lieu comme une spatialisation de ce père au visage trouble, autre «décor d'opérette», autre «halte provisoire»? Pénétrer le grand hôtel, c'est, pour les personnages de Modiano, non plus seulement tenter de fuir l'histoire, le temps qui passe et leur difficulté à être au monde, mais aussi tenter de retrouver le passé en y attendant leur père...

---

151. *Du plus loin de l'oubli, op. cit.*, p. 149.

Kaléidoscope

«J'avais lu que le hasard ne produit qu'un nombre assez limité de rencontres. Les mêmes situations, les mêmes visages reviennent, et l'on dirait les fragments de verre coloriés des kaléidoscopes, avec ce jeu de miroir qui donne l'illusion que les combinaisons peuvent varier jusqu'à l'infini. Mais elles sont plutôt limitées les combinaisons.»[152]

«Un fond solide sous les sables mouvants.»

En exergue à son roman *Les Boulevards de ceinture*, Patrick Modiano a inscrit cette phrase de Rimbaud: «Si j'avais des antécédents à un point quelconque de l'histoire de France! Mais non, rien.» À la parution du roman, en 1972, alors qu'on l'interroge sur ce choix, il déclare: *«Ces mots de Rimbaud traduisent bien ce que j'éprouve: le sentiment de ne pouvoir me rattacher à aucune tradition, à aucun passé national ou historique; le sentiment d'être un déraciné.»*[153] Trente ans plus tard, aux premières pages d'*Un pedigree*, il écrit: *«Les périodes de haute turbulence provoquent souvent des rencontres hasardeuses, si bien que je ne me suis jamais senti un fils légitime et encore moins un héritier.»*[154] Le père, c'est celui qui donne l'identité, comme le rappelle le premier chapitre de *Livret de famille*, dans lequel le narrateur va déclarer sa fille à l'état civil. Modiano et ses personnages sont à la recherche de cette identité, de ce père. Et ce père qui leur échappe toujours symbolise

---

152. *Accident nocturne*, *op. cit.*, p. 141.
153. Entretien, *Les Nouvelles littéraires*, 30 octobre-5 novembre 1972.
154. *Un pedigree*, *op. cit.*, p. 9.

l'instabilité à laquelle ils sont en proie. L'auteur résumait ainsi *Les Boulevards de ceinture*: «*C'est l'histoire d'une quête qui ne peut déboucher sur rien de stable, aucune terre ferme.*» Il ajoutait: «*Ce père minable et fantomatique que recherche le narrateur peut être le symbole de beaucoup de choses. Symbole de l'effritement des valeurs, de la disparition de tout principe d'autorité et de toute assise morale, etc..., toutes choses qui étaient liées à l'image traditionnelle du Père. Le père des* Boulevards de ceinture *est une sorte de dérision désespérée du Père dans l'absolu.*»[155] Dans *Les Boulevards de ceinture*, le père du narrateur vient chercher à Bordeaux son fils bachelier pour se forger à travers lui une identité française en s'appropriant l'état civil qu'il croit garanti par ce diplôme national. Il y a ensuite l'«épisode douloureux du métro Georges-V». Le narrateur s'interroge sur cette volonté de «tuer le fils»: «*Qu'un père cherche à tuer son fils ou à s'en débarrasser me semble tout à fait symptomatique du grand bouleversement des valeurs que nous vivons. Naguère, on observait le phénomène inverse: les fils tuaient leur père pour se prouver qu'ils avaient des muscles. Mais maintenant, contre qui porter nos coups? Nous voilà condamnés, orphelins que nous sommes, à poursuivre un fantôme en reconnaissance de paternité. Impossible de l'atteindre. Il se dérobe toujours.*»[156] Les rapports entre le narrateur et son père trouvent des échos chez d'autres personnages du roman. Ainsi Marcheret est orphelin de père, le père de Sylviane Quimphe est absent, et un doute demeure sur le lien qui unit Murraille et Annie. Les pères des narrateurs sont tous défaillants ou minables, cherchant à se débarrasser du fils sous une rame de métro ou dans un commissariat, à l'éloigner ou à s'en éloigner. Ils se refusent à les reconnaître comme fils. Au premier chapitre du *Livret de famille* que

155. Entretien, *Les Nouvelles littéraires*, 30 octobre-5 novembre 1972.
156. *Les Boulevards de ceinture*, *op. cit.*, p. 154.

Modiano se fabrique, le narrateur, qui n'a jamais été si proche encore de l'auteur, confie: *«Nous venions de participer au début de quelque chose. Cette petite fille serait un peu notre déléguée dans l'avenir. Et elle avait obtenu du premier coup le bien mystérieux qui s'était toujours dérobé devant nous: un état civil.»*[157] Ce récit circulaire, qui part de la naissance de sa fille pour finir sur celle de Patrick, en 1945, revient à de nombreuses reprises sur cette question des origines, du manque d'origine, d'assise. On lit au chapitre II: *«Pourquoi Marignan voulait-il partir en Chine? Dans l'espoir d'y retrouver sa jeunesse, me disais-je. Et moi? C'était l'autre bout du monde. Je me persuadais que là se trouvaient mes racines, mon foyer, mon terroir, toutes ces choses qui me manquaient.»*[158] Au chapitre XI, l'oncle Alex, qui rêve de posséder un moulin dans la campagne française, déclare au narrateur âgé de quatorze ans: *«Ton père et moi, nous sommes des hommes de nulle part [...] nous n'avons même pas un acte de naissance... une fiche d'état civil... comme tout le monde...»*[159]

Les personnages de Modiano s'accrochent aux moindres indices, à tous les noms, de lieux, de personnes, qui pourraient leur offrir les repères dont ils manquent. Ils héritent de l'identité instable de leur auteur, de ses sables mouvants. En effet, Modiano écrit dans *Un pedigree*: *«Que l'on me pardonne tous ces noms et d'autres qui suivront. Je suis un chien qui fait semblant d'avoir un pedigree. Ma mère et mon père ne se rattachent à aucun milieu bien défini. Si ballottés, si incertains que je dois bien m'efforcer de trouver quelques empreintes et quelques balises dans ce sable mouvant comme on s'efforce de remplir avec des lettres à moitié effacées une fiche d'état civil ou un questionnaire administratif.»*[160]

En 1976, quand on l'interrogeait sur les indécisions de

157. *Livret de famille, op. cit.*, p. 27.
158. *Ibid.*, p. 41.
159. *Ibid.*, p. 157.
160. *Un pedigree, op. cit.*, p. 13.

son écriture, il répondait: «*Mi-juif, mi-Flamand, une moitié de moi-même persécute, dément ou corrige l'autre, dans un jeu antagoniste où tout se mélange et s'interpénètre. [...] Cela donne cette ambiance tamisée, entre chien et loup... En fait, c'est parce que je ne peux pas m'expliquer ces contradictions. Je marche sur un fil.*»[161] Face à la question de l'identité, Modiano «marche sur un fil» au-dessus d'un gouffre. On remarque la même idée de risque, de danger, de perte que dans l'image des sables mouvants. Il s'agit de survivre à cette identité qui se dérobe, d'accepter d'être un déraciné, de convenir comme le narrateur de *Rue des boutiques obscures* que «*nous sommes tous des ‹hommes des plages›*» et que le «*sable [...] ne garde que quelques secondes l'empreinte de nos pas*».[162]

Les romans de Modiano sont peuplés de personnages dotés de noms d'emprunt, en quête d'une identité fuyante, aux antécédents flous et à l'avenir incertain. Si deux périodes historiques, l'Occupation et les années 1950 et 1960, marquent son œuvre, deux questions essentielles la hantent: les traumatismes de l'enfance, du rapport au père en particulier, et les troubles de l'identité. À propos de ses deux premiers livres, *La Place de l'Étoile* et *La Ronde de nuit*, Modiano signalait en 1969: «*Dans les deux livres, c'est toujours la recherche d'une identité: l'identité juive, pour le premier et dans le second plutôt une fuite instinctive devant toute identification.*»[163] Le héros de *La Place de l'Étoile*, fils d'un fabriquant de kaléidoscopes, est lui-même un être kaléidoscopique. Raphaël Schlemilovitch s'appelle parfois Des Essarts, parfois Raphaël de Château-Chinon. Son long monologue laisse entendre des biographies multiples et contradictoires. Son identité est mouvante,

---

161. Entretien, *Les Nouvelles littéraires*, 6 octobre 1975.
162. *Rue des boutiques obscures*, *op. cit.*, p. 72-73.
163. Entretien, «Patrick Modiano ou l'esprit de fuite», *Magazine littéraire*, n°34, novembre 1969.

à la manière des figures du kaléidoscope qui se font et se défont sans à-coups. Dans une série de travestissements grotesques, il traverse le temps et l'espace à un rythme délirant. Le roman se fait kaléidoscope. Modiano y expose le problème d'identité qui le préoccupe: comment un juif peut-il être français? L'histoire juive qui sert d'épigraphe au récit est celle-ci: *«Au mois de juin 1942, un officier allemand s'avance vers un jeune homme et lui dit: ‹Pardon, monsieur, où se trouve la place de l'Étoile?› Le jeune homme désigne le côté gauche de sa poitrine.»* Quelle est donc «la place de l'Étoile» pour un juif en France? Est-ce ce lieu central de Paris, symbole de la France à travers le monde? Est-ce plutôt le symbole d'un non-lieu sur la poitrine d'un peuple apatride? L'épigraphe réunit l'époque la plus honteuse de l'Histoire française et la plus grande douleur de l'Histoire juive. Le dilemme de l'identité du juif en France se trouve dans cette collision. Le héros cherche à résoudre la tension entre ces deux termes, juif et français. Chacune de ses tentatives échoue et le dilemme ne se résout pas. L'identité demeure éclatée, rayonnant vers des voies multiples à l'image de «la place de l'Étoile». Dans *La Ronde de nuit*, il est question à nouveau d'un «kaléidoscope dont on m'avait fait cadeau pour mon septième anniversaire».[164] L'objet symbolise l'échec des personnages de Modiano à trouver une identité stable. Aux dernières pages, le narrateur nous livre ce constat: *«Il fallait retenir tous ces visages, ne pas manquer les rendez-vous, être fidèle à ses promesses. Impossible. Je partais au bout d'un instant. Délit de fuite. À ce jeu-là, on finit par se perdre soi-même. De toute façon, je n'ai jamais su qui j'étais. Je donne à mon biographe l'autorisation de m'appeler simplement ‹un homme› et lui souhaite du courage. Je n'ai pas pu allonger*

---

164. *La Ronde de nuit, op. cit.*, p. 145.

mon pas, mon souffle et mes phrases. Il ne comprendra rien à cette histoire. Moi non plus. Nous sommes quittes.»[165]

On retrouve cette quête d'identité chez le narrateur de *Rue des boutiques obscures*. Détective amnésique, il enquête sur son passé. Ne fait-il qu'un avec le dénommé Pedro, pour qui le prennent certains témoins, et pour qui il finit par se faire passer? A-t-il aimé Denise, disparue en gagnant la Suisse à la fin de la guerre? À partir d'une photographie cornée et d'un avis d'enterrement, il court après son identité comme Joseph K. après ses juges insaisissables. D'un fichier défaillant naissent des questions essentielles. À quoi bon ouvrager nos petits «moi» puisqu'il n'en reste presque rien? Ne faut-il pas préférer le présent au mirage des biographies ronflantes? Dans le roman suivant, *De si braves garçons*, le narrateur s'adresse à ses anciens camarades du collège de Valvert, à ces «enfants du hasard et de nulle part» que l'on a voulu habituer «aux bienfaits d'une discipline et au réconfort d'une patrie».[166] Pour dire le manque d'identité stable, Modiano use souvent de l'image de la brume qui nimbe ses personnages. Il en va ainsi de Newman, dont on nous dit: «*Ce garçon d'apparence franche et sportive, une brume l'enveloppait, à son corps défendant. En dehors de ses qualités athlétiques, tout était vague et incertain chez lui.*»[167] À l'image de Christian Portier, les personnages flottent dans leur identité comme dans un costume trop grand pour eux. Ce sont des enfants ignorés ou abandonnés comme Michel Karvé ou Yvon, des jeunes gens égarés comme Bob McFowles ou Daniel Desoto. Les quatorze chapitres consacrés à ces «braves garçons» se font chapelet d'âmes perdues. En 1976, Modiano compare

---

165. *Ibid.*, p. 153.
166. *De si braves garçons, op. cit.*, p. 11.
167. *Ibid.*, p. 178.

la faillite de ses personnages à celle des héros de Fitzgerald en ces termes: «*Chez Fitzgerald, on voit des colosses se détériorer, ce qui donne à la tragédie plus d'ampleur encore. Dans mes livres, tout est miné dès le départ.*» Il ajoute à propos des personnages de ses romans: «*Il ne peut plus rien leur arriver. Ils ne sont plus que des feux follets passant dans les ruines de leur ancienne vie. Ils survivent.*» Mais, et c'est essentiel, «*la seule différence entre eux et moi est en ma faveur: j'écris, c'est mon ancrage. Eux, c'est la dérive complète*».[168]

Dans l'une de ses interviews du début des années 1970, Modiano confie: «*Je conserve beaucoup de choses, de papiers, de journaux, de notes. Mais ce n'est pas par goût des archives, pas non plus pour le plaisir d'accumuler. J'ai plutôt l'impression que ces choses sont comme des signaux de morse à décrypter, des indices qui me mettent sur la voie d'un déchiffrement personnel.*»[169] Plus tard, il ajoute: «*La littérature pour la littérature, les recherches sur l'écriture, tout ce byzantinisme pour chaires et colloques, ça ne m'intéresse pas: j'écris pour savoir qui je suis, pour me trouver une identité.*»[170] On pense alors aux narrateurs-détectives amateurs de ses romans qui pistent des individus, scrutent les lieux et les gens, feuillettent de vieux annuaires. Le plus fameux d'entre eux reste le faux «Guy Roland», détective de *Rue des boutiques obscures*, qui se livre à une reconstitution hasardeuse de sa propre histoire. Mais il y a aussi le dossier beige de Rocroy compulsé par Ambrose Guise dans *Quartier perdu*. Le narrateur de *Fleurs de ruine* part sur les traces d'Urbain et Gisèle T., assassinés dans des circonstances mystérieuses en 1933. Dans *Dimanches d'août*, Jean enquête sur la disparition de Sylvia. On songe, pour ce qui est

---

168. Entretien, *Les Nouvelles littéraires*, 6 octobre 1975.
169. Entretien, *Le Monde*, 24 mai 1973.
170. Entretien, *Les Nouvelles littéraires*, 6 octobre 1975.

du goût pour le décryptage, au personnage du traducteur dans *La Petite Bijou*, Moreau-Badmaev. Il y a enfin Modiano lui-même enquêtant sur les derniers mois de Dora Bruder. On lit dans *Fleurs de ruine*: «*Je m'étais assis à la terrasse de l'un des cafés, vis-à-vis du stade Charléty. J'échafaudais toutes les hypothèses concernant Philippe de Pacheco dont je ne connaissais même pas le visage. Je prenais des notes. Sans en avoir clairement conscience, je commençais mon premier livre. Ce n'était pas une vocation, ni un don particulier qui me poussaient à écrire, mais tout simplement l'énigme que me posait un homme que je n'avais aucune chance de retrouver, et toutes ces questions qui n'auraient jamais de réponse.*»[171] Modiano semble mu par le même élan, une énigme qui le restera, qui doit le rester mais qui toujours suggère un «fond solide sous les sables mouvants».[172] Le «fond solide», l'ancrage ne peut être que l'écriture pour celui qui confie: «*Souvent, je tourne une journée entière autour d'une même phrase. Je l'écris. Je la raie. Je la récris. Je finis par accumuler des dizaines de feuilles détachées pour une seule phrase infiniment répétée au stylo à bille. [...] Il y a comme une petite musique qui me guide tout au long du livre. Le problème [...] c'est de ne pas perdre le rythme.*»[173] Modiano reconnaît qu'il écrit «*pour trouver dans ce sable mouvant un ancrage: cet ancrage, je le trouve précisément dans la langue classique que j'utilise*». Modiano a trouvé le point fixe qui manque à ses personnages, ce point fixe que Moreau-Badmaev, traducteur du *Persan des prairies*, recommande à la narratrice de *La Petite Bijou*. Il lui dit: «*Il faut trouver un point fixe pour que la vie cesse d'être ce flottement perpétuel.*» Il fait d'autant plus penser à Modiano que la narratrice précise: «*Il me souriait comme s'il voulait atténuer*

171. *Fleurs de ruine*, *op. cit.*, p. 86.
172. *Accident nocturne*, *op. cit.*, p. 141.
173. Entretien, *Le Monde*, 24 mai 1973.

le sérieux de ses paroles.» Il conclut sur un soupçon de doute: *«Une fois que nous trouverons le point fixe, alors tout ira mieux, vous ne croyez pas?»*[174]

Modiano laisse glisser le kaléidoscope. Il est l'assemblage de ces morceaux coloriés dont ses romans nous offrent le reflet. Ce n'est qu'avec *Un pedigree* que, pour la première fois, «je» n'est pas un autre. Pourtant les «je» de ses précédents livres n'ont jamais été tout à fait autres. Écoutons les réponses à une enquête sur la jeunesse du narrateur d'*Accident nocturne*, dernier roman avant la publication de son autobiographie: *«Les questions m'avaient semblé étranges: Quelle structure familiale avez-vous connue? J'avais répondu: aucune. Gardez-vous une image forte de votre père et de votre mère? J'avais répondu: nébuleuse. Vous jugez-vous comme un bon fils (ou fille)? Je n'ai jamais été un fils. [...] Pas d'études. Pas de parents. Pas de milieu social. Préférez-vous faire la révolution ou contempler un beau paysage? Contempler un beau paysage. Que préférez-vous? La profondeur du tourment ou la légèreté du bonheur? La légèreté du bonheur. Voulez-vous changer la vie ou bien retrouver une harmonie perdue? Retrouver une harmonie perdue. Ces deux mots me faisaient rêver, mais en quoi pouvait bien consister une harmonie perdue? Dans cette chambre de l'hôtel Fremiet, je me demandais si je ne cherchais pas à découvrir, malgré le néant de mes origines et le désordre de mon enfance, un point fixe, quelque chose de rassurant, un paysage, justement, qui m'aiderait à reprendre pied. Il y avait peut-être toute une partie de ma vie que je ne connaissais pas, un fond solide sous les sables mouvants.»*[175]

174. *La Petite Bijou, op. cit.,* p. 39.
175. *Accident nocturne, op. cit.,* p. 140-141.

L'art de la fugue

En 2001, à la publication de *La Petite Bijou*, Modiano déclare: «*Le ‹je› de mes autres romans a toujours été un peu vague, c'est moi et pas moi. Mais utiliser le ‹je› me concentre mieux, c'est comme si j'entendais une voix, comme si je transcrivais une voix qui me parlait et me disait ‹je› [...] comme quand on capte une voix à la radio, qui de temps en temps s'échappe, devient inaudible, et revient. Ce je d'un autre qui me parle et que j'écoute me donne de la distance par rapport à l'autobiographie, même si je m'incorpore parfois au récit.*»[176] Modiano refuse de voir dans ses romans un retournement volontaire sur lui-même. Il affirme écouter une voix qu'il dit autre, mais qui est nourrie par son imaginaire, ses blessures et ses obsessions, goût pour les traces, les chiens avec ou sans pedigree, les annuaires jaunis et les lumières d'été ou de fin d'après-midi dans des villes désertées. À la parution d'*Accident nocturne*, il se défend encore d'une démarche introspective qu'il reconnaissait pourtant trente ans plus tôt: «*Même si j'ai été tenté par l'autobiographie, jamais je n'ai écrit pour essayer de me connaître ou de comprendre qui je suis, comme Michel Leiris, par exemple. Ma démarche est d'abord formelle et artistique. J'essaie de créer une forme avec les misérables matériaux à ma disposition, ma date de naissance, les parents que j'ai eus, les lieux où j'ai habité. On est toujours prisonnier de tout cela.*»[177] C'est comme si le jeune Modiano admettait une quête de soi que l'écrivain plus âgé refuse. À chaque page de *Pedigree*, on retrouve pourtant des éléments déjà rencontrés dans ses romans. Ce que Modiano laisse entendre, c'est que sa démarche de romancier n'est pas plus autobiographique que celle de tous les autres écrivains. Tous les romans se nourrissent de la vie de leur auteur.

---

176. Entretien, *Libération*, 26 avril 2001.
177. Entretien, *Livres Hebdo*, n°524, 5 septembre 2003.

Mais Modiano aime sans doute trop la discrétion pour ne pas être blessé que beaucoup de critiques, depuis près de quarante ans, inlassablement, ne lisent souvent ses livres que comme un témoignage de sa propre vie, que comme de nouveaux indices pour le décryptage de l'énigme qu'il constituerait. Peut-être regrette-t-il le «je n'invente rien» mis dans la bouche du narrateur des *Boulevards de ceinture*? Ignorait-il à l'époque de la publication de son troisième roman que c'est lui que l'on tenterait d'encercler, de circonscrire? Sans doute pas, puisqu'il déclarait déjà: *«Il y a toujours une part autobiographique dans un roman mais il faut la transposer, l'amplifier, essayer de retrouver l'essentiel des êtres et des choses à travers leur apparence quotidienne, structurer ce qui, dans la vie, est désordre... Si on ne se livre pas à ce travail de ‹filtrage› et de stylisation, on risque de donner une impression de ‹débraillé›, de ‹document vécu›, de ‹déballage› qui est le contraire de la littérature.»*[178] Modiano n'expose pas son moi, sa vie. Il déforme pour créer, recréer. Écrivain enquêteur, il n'a pas pu empêcher que nombre de ses lecteurs à leur tour le pistent, le traquent, ignorant la part de mensonge constitutive de tout roman. En 1973, il précise que la part autobiographique de ses romans est *«entièrement métamorphosée par l'imagination. Présenter les choses telles qu'elles se sont passées dans la réalité, cela m'a toujours paru peu romanesque. Pour que ça le devienne, il faut déformer, concentrer, aller chercher tous les détails significatifs à travers l'écume des faits, et puis les amplifier de façon démesurée. Prenez* Les Boulevards de ceinture, *je m'y suis inspiré en principe de mon père. Mais ce ne sont pas des faits réels que je raconte. Il n'a jamais essayé de me pousser sous le métro. Il m'était simplement hostile. Alors j'ai choisi ce geste spectaculaire pour symboliser*

---

178. Entretien, *Les Nouvelles littéraires*, 30 octobre-5 novembre 1972.

cette hostilité que je sentais en lui contre moi. Un acteur et une actrice se maquillent, eux aussi, pour avoir l'air plus réel. Vous me direz que pour réussir ces trucages, il faut avoir un certain degré de duplicité, également un certain recul par rapport à soi-même. Sans doute. Mais comment devenir romancier sans apprendre à mentir?»[179]

En 2003, Modiano affirme: «*Si j'écrivais mon autobiographie, ce ne pourrait être qu'un rapport de police.*»[180] Parce qu'il juge trop débraillée l'autobiographie, la sienne, *Un pedigree*, a la sobriété d'un relevé cadastral et patronymique. Il y confie ainsi, à propos de ce récit qui ne porte que sur les vingt premières années de sa vie: «*À part mon frère Rudy, sa mort, je crois que rien de tout ce que je rapporterai ici ne me concerne en profondeur. J'écris ces pages comme on rédige un constat ou un curriculum vitae, à titre documentaire et sans doute pour en finir avec une vie qui n'était pas la mienne. Il ne s'agit que d'une simple pellicule de faits et gestes. Je n'ai rien à confesser ni à élucider et je n'éprouve aucun goût pour l'introspection et les examens de conscience. Au contraire, plus les choses demeuraient obscures et mystérieuses, plus je leur portais de l'intérêt. Et même, j'essayais de trouver du mystère à ce qui n'en avait aucun. Les événements que j'évoquerai jusqu'à ma vingt et unième année, je les ai vécus en transparence – ce procédé qui consiste à faire défiler en arrière-plan des paysages, alors que les acteurs restent immobiles sur un plateau de studio. Je voudrais traduire cette impression que beaucoup d'autres ont ressentie avant moi: tout défilait en transparence et je ne pouvais pas encore vivre ma vie.*»[181]

Ce n'est que la deuxième fois que Modiano évoque Rudy, la mort de Rudy. À son frère, il a dédié tous ses romans jusqu'à *Quartier perdu*. Puis, dans *Remise de peine*, il fait dire au narrateur Patoche: «*J'avais perdu mon frère. Le fil avait été brisé.*»

---

179. Entretien, *Le Monde*, 24 mai 1973.
180. Entretien, *Livres Hebdo*, n°524, 5 septembre 2003.
181. *Un pedigree, op. cit.*, p. 44-45.

Un fil de la Vierge. Il ne restait rien de tout ça…»[182] Si Modiano, à travers ses romans, s'est livré à un déchiffrement personnel, ce n'a jamais été que pour partir à la découverte de nouvelles énigmes, pour trouver de nouveaux mystères, pour faire résonner de nouveaux silences. Il rejette l'introspection en ce qu'elle comporte d'élucidation. Dans *Voyage de noces*, il fait partager son goût pour les silences à son narrateur. On lit en effet: *«J'ai éprouvé un vague remords: un biographe a-t-il le droit de supprimer certains détails, sous prétexte qu'il les juge superflus? Ou bien ont-ils tous leur importance et faut-il les rassembler à la file sans se permettre de privilégier l'un au détriment de l'autre, de sorte que pas un seul ne doit manquer, comme dans l'inventaire d'une saisie? À moins que la ligne d'une vie, une fois parvenue à son terme, ne s'épure d'elle-même de tous ces éléments inutiles et décoratifs. Alors, il ne reste plus que l'essentiel: les blancs, les silences et les points d'orgue.»*[183]

Modiano se méfie de ceux qui veulent combler les silences. Il redoute que la part autobiographique de son œuvre ne fasse oublier l'essentiel: son art de la suggestion. Il avoue ainsi: *«Je me sens un peu coupable quand le livre est trop court. Mais cela tient du fait que j'ai voulu suggérer beaucoup de choses. Il y a toute une partie invisible. Sans s'en rendre compte le lecteur devrait pouvoir reconstituer de lui-même ce que j'imagine par le silence.»*[184] Il nous laisse l'impression de rêver à sa place. On pense au douzième chapitre de *Livret de famille* dans lequel le narrateur entreprend la rédaction d'une biographie qu'il choisit d'intituler «Les vies d'Harry Dressel». On remarque le pluriel du kaléidoscope. Le biographe nous confie: *«[…]je comptais laisser aller mon imagination. Elle m'aiderait à retrouver*

---

182. *Remise de peine, op. cit.*, p. 102.
183. *Voyage de noces, op. cit.*, p. 52.
184. Entretien, *Le Figaro*, 2 novembre 1993.

le vrai Dressel. Il suffisait de rêver sur les deux ou trois éléments dont je disposais, et je parviendrais à restituer le reste, comme l'archéologue qui, en présence d'une statue aux trois quarts mutilée, la recompose intégralement dans sa tête.»[185] L'art de Modiano est dans le paradoxe: mémoire et oubli, exactitude dans le flou, vérité dans la fiction. C'est ce trouble maintenu qui permet la suggestion. On songe à *Catherine Certitude*, à la petite fille qui ôte ses lunettes pour danser. Elle dit *«vivre dans deux mondes différents, selon que j'y portais ou non mes lunettes. Et le monde de la danse n'était pas la vie réelle, mais un monde où l'on sautait et où l'on faisait des entrechats au lieu de marcher simplement. Oui, un monde de rêve, comme celui, flou et tendre, que je voyais sans mes lunettes.»*[186]

Le goût pour le flou qui permet la suggestion se lit aussi dans la double identité de beaucoup des héros de Modiano. Outre le héros de son premier roman, il y a aussi le narrateur apatride de *La Ronde de nuit*, qui est «Swing troubadour» pour la Gestapo et «La Princesse de Lamballe» pour le groupe de résistants. On pense au faux comte Victor Chmara de *Villa triste*, à l'écrivain de *Quartier perdu*, Jean Dekker devenu Ambrose Guise, à l'écrivain de *Vestiaire d'enfance*, Jean Moreno devenu Jimmy Sarano. Dans ces deux derniers cas, le changement d'identité fait partie de la fuite, du changement de vie. Le narrateur de *Quartier perdu* évoque *«cette carapace d'écrivain anglais sous laquelle [il se] dissimulais depuis vingt ans».*[187] À la fin du roman, il déclare: *«Il n'y avait plus de place ici, désormais, pour ce Jean Dekker dont on allait trouver les fiches d'hôtel à la Mondaine. Il fallait que je laisse ce frère jumeau derrière moi et que je quitte le plus vite possible*

---

185. *Livret de famille, op. cit.*, p. 185.
186. *Catherine Certitude, op. cit.*, p. 45.
187. *Quartier perdu, op. cit.*, p. 29.

Paris où j'avais passé mon enfance, mon adolescence et les premières années de ma jeunesse. À certains moments de la vie – me disais-je pour me consoler – on doit partir et changer de peau.»[188] La double identité est à rapprocher du désir d'anonymat exprimé par le narrateur de *Du plus loin de l'oubli*: «*J'aurais dû me présenter, mais j'éprouve toujours une gêne à dire mon nom.*»[189] La première narratrice *Des inconnues* dit à propos de Guy Vincent, dont le vrai nom est Alberto Zymbalist: «*Après tout, ses mensonges étaient une partie de lui-même. Tant pis s'ils ne cachaient que du vide. C'était le vide qui m'attirait aussi chez lui.*»[190] À la fin du récit, elle exprime le désir de rester «non identifiée». Les passants éternels que sont les personnages des romans de Modiano évoquent les chevaux de *Memory Lane*: «*Les chevaux ne passent qu'une seule fois sur Memory Lane / Mais il reste la trace de leurs sabots.*»[191]

La fugue est un motif qui revient à de nombreuses reprises. On la trouve dans *De si braves garçons*, *Voyage de noces*, *Dora Bruder* et *Un pedigree* où Modiano raconte sa fugue de janvier 1960. La fugue d'Ingrid dans *Voyage de noces* est une préfiguration romanesque de l'enquête menée sur celle de Dora. Modiano écrit ainsi dans *Dora Bruder*: «*L'extrême précision de quelques détails [de l'avis de recherche de Dora Bruder] me hantait [...]. Et la nuit, l'inconnu, l'oubli, le néant tout autour. Il me semblait que je ne parviendrais jamais à retrouver la moindre trace de Dora Bruder. Alors le manque que j'éprouvais m'a poussé à l'écriture d'un roman,* Voyage de noces, *un moyen comme un autre pour continuer à concentrer mon attention sur Dora Bruder, et peut-être, me disais-je, pour élucider ou deviner quelque chose d'elle, un lieu où elle était passée, un détail de sa vie. J'ignorais tout de*

188. *Ibid.*, p. 181.
189. *Du plus loin de l'oubli, op. cit.*, p. 168.
190. *Des inconnues, op. cit.*, p. 53-54.
191. *Memory Lane*, Paris, Hachette littératures, 1981, p. 27.

ses parents et des circonstances de sa fugue.» Il poursuit en notant: *«Je me rends compte aujourd'hui qu'il m'a fallu écrire deux cents pages pour capter, inconsciemment, un vague reflet de la réalité. Cela tient en quelques mots: ‹La rame s'arrêta à Nation. Rigaud et Ingrid avaient laissé passer la station Bastille où ils auraient dû prendre la correspondance pour la Porte Dorée. À la sortie du métro, ils débouchèrent sur un grand champ de neige [...]. Le traîneau coupe par de petites rues pour rejoindre le boulevard Soult.› Ces petites rues sont voisines de la rue de Picpus et du pensionnat du Saint-Cœur-de-Marie, d'où Dora Bruder devait faire une fugue, un soir de décembre au cours duquel la neige était peut-être tombée sur Paris. Voilà le seul moment du livre où, sans le savoir, je me suis rapproché d'elle, dans l'espace et le temps.»*[192] Les fugues d'Ingrid et de Dora font écho à celle qu'il entreprit lui-même: *«Je me souviens de la mienne le 18 janvier 1960, à une époque qui n'avait pas la noirceur de décembre 1941. [...] le seul point commun avec la fugue de Dora, c'était la saison: l'hiver. [...] il semble que ce qui vous pousse brusquement à la fugue, ce soit un jour de froid et de grisaille qui vous rend encore plus vive la solitude et vous fait sentir encore plus fort qu'un étau se resserre.»*[193]

L'art de la suggestion de Modiano est un art de mieux voir. On lit, dans *Dora Bruder*, à propos des ressemblances entre la fugue de Dora et la traversée nocturne de Paris que font Cosette et Jean Valjean traqués par Javert, depuis le quartier de la barrière Saint-Jacques jusqu'au Petit Picpus, couvent situé à la même adresse que le pensionnat du Saint-Cœur-de-Marie d'où a fui Dora Bruder:

«Comme beaucoup d'autres avant moi, je crois aux coïncidences et quelquefois à un don de voyance chez les romanciers — le mot ‹don› n'étant pas le terme exact, parce qu'il suggère une sorte

---

192. *Dora Bruder, op.cit.* p. 53-54.
193. *Ibid.,* p. 57.

de supériorité. Non, cela fait simplement partie du métier: les efforts d'imagination, nécessaires à ce métier, le besoin de fixer son esprit sur des points de détail – et cela de manière obsessionnelle – pour ne pas perdre le fil et se laisser aller à sa paresse –, toute cette tension, cette gymnastique cérébrale peut sans doute provoquer à la longue de brèves intuitions ‹concernant des événements passés ou futurs›, comme l'écrit le dictionnaire Larousse à la rubrique ‹Voyance›.»[194]

Mais Modiano n'élucide pas le secret de la fugue de Dora. *«J'ignorerai toujours à quoi elle passait ses journées, où elle se cachait, en compagnie de qui elle se trouvait pendant les mois d'hiver de sa première fugue et au cours des quelques semaines de printemps où elle s'est échappée à nouveau. C'est là son secret. Un pauvre et précieux secret que les bourreaux, les ordonnances, les autorités dites d'occupation, le Dépôt, les casernes, les camps, l'Histoire, le temps – tout ce qui vous souille et vous détruit – n'auront pas pu lui voler.»*[195]

Ce thème de la fugue m'a mise sur la voie d'une analogie musicale. L'écriture de Modiano m'évoque la définition que le dictionnaire donne de la fugue comme «composition musicale écrite dans le style du contrepoint et dans laquelle un thème et ses imitations successives forment plusieurs parties qui semblent se fuir et se poursuivre l'une l'autre». À la publication d'*Accident nocturne*, Modiano confie: *«J'ai toujours l'impression que chacun de mes livres se relie aux précédents. Je ne m'en aperçois pas toujours moi-même, mais une fois que j'ai fini, je me rends compte que des leitmotivs reviennent, des scènes se répètent. Comme un photographe qui prendrait la même photo sous des angles différents. […] C'est un peu comme si j'écrivais le même livre, par fragments, par à-coups.»*[196] Son œuvre serait

---

194. *Ibid.*, p. 52-53.
195. *Ibid.*, p. 144-145.
196. Entretien, *Livres Hebdo*, n° 524, 5 septembre 2003.

un jeu de variations sur quelques accords, toujours les mêmes: paysages, personnages à l'identité trouble, quartiers fantomatiques, noms de famille ou d'hôtels qui semblent inépuisables. Mais la variation est toujours différente, la fugue toujours nouvelle, le secret toujours préservé.

«Je me suis souvent demandé si l'une de ses connaissances lui avait parlé du Condé avant qu'elle y entre pour la première fois. Ou si quelqu'un lui avait donné rendez-vous dans ce café et n'était pas venu. Alors, elle se serait postée, jour après jour, soir après soir, à sa table, en espérant le retrouver dans cet endroit qui était le seul point de repère entre elle et cet inconnu. Aucun autre moyen de le joindre. Ni adresse. Ni numéro de téléphone. Juste un prénom. Mais peut-être avait-elle échoué là par hasard, comme moi. Elle se trouvait dans le quartier et elle voulait s'abriter de la pluie. J'ai toujours cru que certains endroits sont des aimants et que vous êtes attiré vers eux si vous marchez dans leurs parages. Et cela de manière imperceptible, sans même vous en douter. Il suffit d'une rue en pente, d'un trottoir ensoleillé ou bien d'un trottoir à l'ombre. Ou bien d'une averse. Et cela vous amène là, au point précis où vous deviez échouer. Il me semble que Le Condé, par son emplacement, avait ce pouvoir magnétique et que si l'on faisait un calcul de probabilités le résultat l'aurait confirmé: dans un périmètre assez étendu, il était inévitable de dériver vers lui. J'en sais quelque chose.

L'un des membres du groupe, Bowing, celui que nous appelions ‹le Capitaine›, s'était lancé dans une entreprise que les autres avaient approuvée. Il notait depuis bientôt trois ans les noms des clients du Condé, au fur et à mesure de leur arrivée, avec, chaque fois, la date et l'heure exacte. Il avait chargé deux de ses amis de la même tâche au Bouquet et à La Pergola, qui restaient ouverts toute la nuit. Malheureusement, dans ces deux cafés, les clients ne voulaient pas toujours dire leur nom. Au fond, Bowing cherchait à sauver de l'oubli *les papillons qui tournent quelques instants autour d'une lampe. Il rêvait, disait-il, d'un immense registre où auraient été consignés les noms des clients de tous les cafés de Paris depuis cent ans, avec mention de leur arrivée et de leur départ successifs. Il était hanté par ce qu'il appelait ‹les points fixes›.*

Dans ce flot ininterrompu de femmes, d'hommes, d'enfants, de chiens, qui passent et qui finissent par se perdre au long des rues, on aimerait retenir un visage, de temps en temps. Oui, selon Bowing, il fallait au milieu du maelström des grandes villes trouver quelques points fixes. Avant de partir pour l'étranger, il m'avait donné le cahier où sont répertoriés, jour par jour, pendant trois ans, les clients du Condé. Elle n'y figure que sous son prénom d'emprunt, Louki, et elle est mentionnée pour la première fois un 23 janvier.»

Dans le café de la jeunesse perdue, Paris, Gallimard, coll. «Blanche», 2007, p. 17-19.

La Place de l'Étoile (1968)
Villa triste (1975)
Rue des boutiques obscures (1978)
Quartier perdu (1984)
Voyage de noces (1990)
Chien de printemps (1993)
Dora Bruder (1997)
Accident nocturne (2003)
Un Pedigree (2006)

La Place de l'Étoile

Dans *La Place de l'Étoile*, le narrateur, Raphaël Schlemilovitch, se replongeant au temps où il dissipait son héritage vénézuélien, commence par évoquer les injures dont l'abreuvaient Léon Rabatête et le docteur Bardamu, critiques d'un journal antisémite, *Ici la France*, et doubles parodiques de Rebatet et de Céline. Dans le premier passage, il oppose ce qu'il nomme sa «juiverie» et une identité française fantasmée. Comment être juif et français à la fois?

Dans le second extrait, Raphaël s'est souvenu qu'il avait un père et s'est décidé à disparaître dans la province française. Accompagné de ce père d'opérette aux costumes criards, il se rend à Bordeaux, où il souhaite s'inscrire en lettres supérieures afin de réaliser ses rêves d'assimilation. Dans un bar d'hôtel, symbole du cosmopolitisme qu'il rejette, il peut rêver à une vie enracinée.

[...]

Les vociférations de Rabatête et de Bardamu étaient étouffées par les éloges que me décernaient les chroniqueurs mondains. La plupart d'entre eux citaient Valery Larbaud et Scott Fitzgerald: on me comparait à Barnabooth, on me surnommait «The Young Gatsby». Les photographies des magazines me représentaient toujours la tête penchée, le regard perdu vers l'horizon. Ma mélancolie était proverbiale dans les colonnes de la presse du cœur. Aux journalistes qui me questionnaient devant le *Carlton*, le *Normandy* ou le *Miramar*, je proclamais inlassablement ma juiverie. D'ailleurs, mes faits et gestes allaient à l'encontre des vertus que l'on cultive chez les Français: la discrétion, l'économie, le travail. J'ai, de mes ancêtres orientaux, l'œil noir, le goût de l'exhibitionnisme et du faste, l'incurable paresse. Je ne suis pas un enfant de ce pays. Je n'ai pas connu les grand-mères qui vous préparent des confitures, ni les portraits de famille, ni le catéchisme. Pourtant, je ne cesse de rêver aux enfances provinciales. La mienne est peuplée de gouvernantes anglaises et se déroule avec monotonie sur des plages frelatées: à Deauville, Miss Evelyn me tient par la main. Maman me délaisse pour des joueurs de polo. Elle vient m'embrasser le soir dans mon lit, mais quelquefois elle ne s'en donne pas la peine. Alors je l'attends, je n'écoute plus Miss Evelyn et les aventures de David Copperfield. Chaque matin, Miss Evelyn me conduit au Poney Club. J'y prends mes leçons d'équitation. Je serai le plus célèbre joueur de polo du monde pour plaire à maman. Les petits Français connaissent toutes les équipes de football. Moi, je ne pense qu'au polo. Je me répète ces mots magiques: «Laversine», «Cibao la Pampa», «Silver Leys», «Porfirio Rubirosa». Au Poney Club on me photographie beaucoup avec la jeune princesse Laïla, ma fiancée. L'après-midi, Miss Evelyn nous achète des parapluies en chocolat chez la «Marquise de Sévigné». Laîla préfère les sucettes. Celles de la «Marquise de Sévigné» ont une forme oblongue et un joli bâtonnet.

Il m'arrive de semer Miss Evelyn quand elle m'emmène à la plage, mais elle sait où me trouver: avec l'ex-roi Firouz ou le baron Trufaldine, deux grandes personnes qui sont mes amis. L'ex-roi Firouz m'offre des sorbets à la pistache en s'exclamant: «Aussi gourmant que moi, mon petit Raphaël!» Le baron Truffadine se trouve toujours seul et triste au Bar du Soleil. Je m'approche de sa table et me plante devant lui. Ce vieux monsieur me raconte des histoires interminables dont les protagonistes s'appellent Cléo de Mérode, Otéro, Émilienne d'Alençon, Liane de Pougy, Odette de Crécy. Des fées certainement comme dans les contes d'Andersen.

Les autres accessoires qui encombrent mon enfance sont

les parasols orange de la plage, le Pré-Catelan, le cours Hattemer, David Copperfield, la comtesse de Ségur, l'appartement de ma mère quai Conti et trois photos de Lipnitzki où je figure à côté d'un arbre de Noël.

[...]

La Place de l'Étoile
Gallimard, 1968; rééd., coll. «Folio», 1975
[p. 17-18].

[...]

Au bar de l'hôtel, nous buvions un irish-coffee et mon père fumait son cigare Upman. En quoi le *Splendid* différait-il du *Claridge*, du *George V*, de tous les caravansérails de Paris et d'Europe? Les palaces internationaux et les wagons Pullman me protégeaient-ils longtemps encore de la France? À la fin, ces aquariums me donnaient la nausée. Les résolutions que j'avais prises me laissaient néanmoins quelques espérances. Je m'inscrirais en classe de Lettres supérieures au lycée de Bordeaux. Quand j'aurai réussi le concours, je me garderai bien de singer Rastignac, du haut de la butte Montmartre. Je n'avais rien de commun avec ce vaillant petit Français. «Et maintenant, Paris, à nous deux!» Il n'y a que les trésoriers-payeurs généraux de Saint-Flour ou de Libourne pour cultiver ce romantisme. Non, Paris me ressemblait trop. Une fleur artificielle au milieu de la France. Je comptais sur Bordeaux pour me révéler les valeurs authentiques, m'acclimater au terroir. Quand j'aurai réussi le concours, je demanderai un poste d'instituteur en province. Je partagerai mes journées entre une salle de classe poussiéreuse et le Café du Commerce. Je jouerai à la belote avec des colonels. Les dimanches après-midi, j'écouterai de vieilles mazurkas au kiosque de la place. Je serai amoureux de la femme du maire, nous nous retrouverons le jeudi dans un hôtel de passe de la ville la plus proche. Cela dépendra de mon chef-lieu de canton. Je servirai la France en éduquant ses enfants. J'appartiendrai au bataillon noir des hussards de la vérité, comme dit Péguy, mon futur condisciple. J'oublierai peu à peu mes origines honteuses, le nom disgracieux de Schlemilovitch, Torquemada, Himmler et tant d'autres choses.

[...]

La Place de l'Étoile
Gallimard, 1968; rééd., coll. «Folio», 1975
[p. 64-65].

Villa triste

En ouverture de *Villa triste*, le narrateur évoque une petite ville au bord d'un lac, ville hantée par l'énigmatique René Meinthe qu'il y a connu dix ans plus tôt. Il énumère tout ce qui a été englouti et que seuls les mots peuvent ressusciter, pourvu qu'on les chantonne «inlassablement, sur un air de berceuse».

Ils ont détruit l'hôtel de Verdun. C'était un curieux bâtiment, en face de la gare, bordé d'une véranda dont le bois pourrissait. Des voyageurs de commerce y venaient dormir entre deux trains. Il avait la réputation d'un hôtel de passe. Le café voisin, en forme de rotonde, a disparu lui aussi. S'appelait-il café des Cadrans ou de l'Avenir? Entre la gare et les pelouses de la place Albert-1er, il y a un grand vide, maintenant.

La rue Royale, elle, n'a pas changé, mais à cause de l'hiver et de l'heure tardive, on a l'impression, en la suivant, de traverser une ville morte. Vitrines de la librairie Chez Clément Marot, d'Horowitz le bijoutier, *Deauville, Genève, Le Touquet*, et de la pâtisserie anglaise Fidel-Berger... Plus loin, le salon de coiffure René Pigault. Vitrines d'Henry à la Pensée. La plupart de ces magasins de luxe sont fermés en dehors de la saison. Quand commencent les arcades, on voit briller, au bout, à gauche, le néon rouge et vert du Cintra. Sur le trottoir opposé, au coin de la rue Royale et de la place du Pâquier, la Taverne, que fréquentait la jeunesse pendant l'été. Est-ce toujours la même clientèle aujourd'hui?

Plus rien ne reste du grand café, de ses lustres, de ses glaces, et des tables à parasols qui débordaient sur la chaussée. Vers huit heures du soir, des allées et venues se faisaient de table à table, des groupes se formaient. Éclats de rire. Cheveux blonds. Tintements des verres. Chapeaux de paille. De temps en temps un peignoir de plage ajoutait sa note bariolée. On se préparait pour les festivités de la nuit.

À droite, là-bas, le Casino, une construction blanche et massive, n'ouvre que de juin à septembre. L'hiver, la bourgeoisie locale bridge deux fois par semaine dans la salle de baccara et le grill-room sert de lieu de réunion au Rotary Club du département. Derrière, le parc d'Albigny descend en pente très douce jusqu'au lac avec ses saules pleureurs, son kiosque à musique et l'embarcadère d'où l'on prend le bateau vétuste qui fait la navette entre les petites localités du bord de l'eau: Veyrier, Chavoires, Saint-Jorioz, Éden-Roc, Port-Lusatz... Trop d'énumérations. Mais il faut chantonner certains mots, inlassablement, sur un air de berceuse.

[...]

Villa triste
Gallimard, 1975; rééd., coll. «Folio», 1977
[p. 7-8].

Rue des boutiques obscures

Le détective amnésique de *Rue des boutiques obscures* a reçu de son ancien patron Constantin von Hutte l'état civil de Guy Roland. Sur la piste de son passé, il se rend (chapitre VIII) à l'adresse où Gay Orlow se suicida, 25, avenue du Maréchal-Lyautey, avenue qui longe le champ de courses d'Auteuil. C'est la photo de Gay Orlow qui, au début du roman, oriente sa quête.

[...]

Certains soirs, j'ai dû monter l'escalier du 25 avenue du Maréchal-Lyautey, le cœur battant. Elle m'attendait. Ses fenêtres donnaient sur le champ des courses. Il était étrange, sans doute, de voir les courses de là-haut, les chevaux et les jockeys minuscules progresser comme les figurines qui défilent d'un bout à l'autre des stands de tir et si l'on abat toutes ces cibles, on gagne le gros lot.

Quelle langue parlions-nous entre nous? L'anglais? La photo avec le vieux Giorgiadzé avait-elle été prise dans cet appartement? Comment était-il meublé? Que pouvaient bien se dire un dénommé Howard de Luz — moi? — «d'une famille de la noblesse» et «confident de John Gilbert» et une ancienne danseuse née à Moscou et qui avait connu, à Palm-Island, Lucky Luciano?

Drôles de gens. De ceux qui ne laissent sur leur passage qu'une buée vite dissipée. Nous nous entretenions souvent, Hutte et moi, de ces êtres dont les traces se perdent. Ils surgissent un beau jour du néant et y retournent après avoir brillé de quelques paillettes. Reines de beauté. Gigolos. Papillons. La plupart d'entre eux, même de leur vivant, n'avaient pas plus de consistance qu'une vapeur qui ne se condensera jamais. Ainsi, Hutte me citait-il en exemple un individu qu'il appelait l'«homme des plages». Cet homme avait passé quarante ans de sa vie sur des plages ou au bord de piscines, à deviser aimablement avec des estivants et de riches oisifs. Dans les coins et à l'arrière-plan de milliers de photos de vacances, il figure en maillot de bain au milieu de groupes joyeux mais personne ne pourrait dire son nom et pourquoi il se trouve là. Et personne ne remarqua qu'un jour il avait disparu des photographies. Je n'osais pas le dire à Hutte mais j'ai cru que l'«homme des plages» c'était moi. D'ailleurs je ne l'aurais pas étonné en le lui avouant. Hutte répétait qu'au fond, nous sommes tous des «hommes des plages» et que le «sable — je cite ses propres termes — ne garde que quelques secondes l'empreinte de nos pas».

[...]

Rue des boutiques obscures
Gallimard, 1978; rééd., coll. «Folio», 1982
[p. 71-72].

Quartier perdu

Après vingt ans d'absence, Jean Dekker, devenu Ambrose Guise, écrivain anglais à succès, revient à Paris pour un rendez-vous avec son éditeur japonais.

[...]

Je me suis allongé sur le lit. À cause de la chaleur, il fallait éviter de faire le moindre geste, mais j'ai tendu le bras vers la table de nuit en direction de mon vieux cahier. Je l'ai posé près de l'oreiller. Je n'avais pas vraiment envie de le consulter. Couverture verte, bords usés, spirales, triangle dans le coin gauche, au sommet duquel était écrit «Clairefontaine». Un simple cahier d'écolier que j'avais acheté un jour dans une papeterie de l'avenue Wagram et sur lequel j'avais noté des adresses, des numéros de téléphone, quelquefois des rendez-vous: l'un des seuls vestiges de ma vie antérieure à Paris, avec mon passeport français périmé et un porte-cigarettes en cuir, inutile aujourd'hui puisque je ne fumais plus.

Je pouvais déchirer ce cahier, page après page, mais il était inutile que je me donne cette peine: les numéros de téléphone qu'il contenait ne répondaient plus depuis longtemps. Alors pourquoi rester à Paris, sur le lit d'une chambre d'hôtel, en essuyant du poignet de ma chemise la sueur qui dégoulinait de mon menton dans mon cou? Il suffisait de prendre le premier avion du matin et de retrouver la fraîcheur de Rutland Gate...

J'ai éteint la lampe de chevet. La fenêtre était ouverte, et dans la lumière bleue et phosphorescente de la rue Castiglione tous les objets de la chambre se détachaient nettement: armoire à glace, fauteuil de velours, tables circulaires, appliques des murs. Un reflet en forme de treillage courait au plafond.

Immobile, les yeux grands ouverts, je me dépouillais peu à peu de cette carapace épaisse d'écrivain anglais sous laquelle je me dissimulais depuis vingt ans. Ne pas bouger. Attendre que la descente à travers le temps soit achevée, comme si on l'avait sauté en parachute. Reprendre pied dans le Paris d'autrefois. Visiter les ruines et tenter d'y découvrir une trace de soi. Essayer de résoudre toutes les questions qui sont demeurées en suspens.

J'écoutais claquer les portières, les voix et les rires monter de la rue, les pas résonner sous les arcades. Le cahier faisait une tache claire à côté de moi et, tout à l'heure, je le feuilletterais. Une liste de fantômes. Oui, mais qui sait? Quelques-uns hantaient encore cette ville écrasée de chaleur.

[...]

Quartier perdu
Gallimard, 1984; rééd. coll. «Folio», 1988
[p. 28-29].

Voyage de noces

Sous un soleil de plomb, un 16 août à Milan, ville désertée, une femme est venue mourir par hasard. Dix-huit ans après, le narrateur fait semblant de partir à Rio et s'installe à l'hôtel Dodds, Porte Dorée, pour retrouver la trace d'Ingrid.

[...]

À partir de quel moment de ma vie les étés m'ont-ils soudain paru différents de ceux que j'avais connus jusque-là? Ce serait difficile à déterminer. Pas de frontière précise. L'été du suicide d'Ingrid à Milan? Il m'avait semblé identique aux autres. C'est en me souvenant aujourd'hui des rues désertes sous le soleil et de cette chaleur étouffante dans le taxi jaune que j'éprouve le même malaise qu'aujourd'hui à Paris, en juillet.

Depuis longtemps déjà — et cette fois-ci d'une manière plus violente que d'habitude — l'été est une saison qui provoque chez moi une sensation de vide et d'absence et me ramène au passé. Est-ce la lumière trop brutale, le silence des rues, ces contrastes d'ombre et de soleil couchant, l'autre soir, sur les façades des immeubles du boulevard Soult? Le passé et le présent se mêlent dans mon esprit par un phénomène de surimpression. Le malaise vient de là, sans doute. Ce malaise, je ne l'éprouve pas seulement dans un état de solitude, comme aujourd'hui mais à chacune de nos fêtes du 14 juillet, sur la terrasse de la cité Véron. J'entends toujours Wetzel ou Cavanaugh me dire: «Alors, Jean, quelque chose ne va pas? Tu devrais boire une coupe de champagne...» ou bien Anette se colle contre moi, elle me caresse les lèvres de son index, en me chuchotant à l'oreille, avec son accent danois: «À quoi tu penses, Jeannot? Dis, tu m'aimes encore toujours?»

Et autour de nous, j'entends les éclats de rire, le murmure des conversations, la musique.

Cet été-là, le malaise n'existait pas, ni cette surimpression étrange du passé sur le présent. J'avais vingt ans. Je revenais de Vienne, en Autriche, par le train, et j'étais descendu à la gare de Saint-Raphaël. Neuf heures du matin. Je voulais prendre un car qui m'emmènerait du côté de Saint-Tropez. Je me suis aperçu en fouillant l'une des poches de ma veste, qu'on m'avait volé tout l'argent qu'il me restait: trois cents francs. Sur le moment, j'ai décidé de ne pas me poser de questions au sujet de mon avenir. Il faisait beau, ce matin-là, et la chaleur était aussi accablante qu'aujourd'hui mais à l'époque, cela ne me gênait pas.

[...]

Voyage de noces
Gallimard, 1990; rééd., coll. «Folio», 1992
[p. 24-25].

Chien de printemps

Le narrateur de *Chien de printemps* rencontre le photographe Jansen au printemps de 1964. Près de trente ans après, il retrouve une photographie. Il se sent alors obligé d'évoquer en quelques dates cet homme qui voulait disparaître.

[...]

J'éprouve une gêne à donner des détails, et j'imagine l'embarras de Jansen s'il les voyait notés noir sur blanc. C'était un homme qui parlait peu. Et il aura tout fait pour qu'on l'oublie, jusqu'à partir pour le Mexique en juin 1964 et ne donner plus signe de vie. Il me disait souvent: «Quand j'arriverai là-bas, je vous enverrai une carte postale pour vous indiquer mon adresse.» Je l'ai attendue vainement. Je doute qu'il tombe un jour sur ces pages. Si cela se produisait, alors je recevrais la carte postale, de Cuernavaca ou d'ailleurs, avec ces simples mots: Taisez-vous.

Mais non, je ne recevrais rien. Il me suffit de regarder l'une des photos pour retrouver la qualité qu'il possédait dans son art et dans la vie et qui est si précieuse mais si difficile à acquérir: garder le silence. Un après-midi je lui avais rendu visite et il m'avait donné la photo de mon amie et moi, sur le banc. Il m'avait demandé ce que je comptais faire plus tard et je lui avais répondu:

— Écrire.

Cette activité me semblait être «la quadrature du cercle» — le terme exact qu'il avait employé. En effet, on écrit des mots, et lui, il recherchait le silence. Mais les mots? Voilà ce qui aurait été intéressant à son avis: réussir à créer le silence avec des mots. Il avait éclaté de rire:

— Alors, vous allez essayer de faire ça? Je compte sur vous. Mais surtout, que ça ne vous empêche pas de dormir...

De tous les caractères d'imprimerie, il m'avait dit qu'il préférait les points de suspension.

[...]

Chien de printemps

Éditions du Seuil, 1993

[p. 20-21].

Dora Bruder

En 1988, dans un Paris-Soir daté du 31 décembre 1941, Patrick Modiano a trouvé l'avis de recherche de Dora Bruder. Huit ans plus tard, il se décide à suivre ses traces.

[...]

Il faut longtemps pour que ressurgisse à la lumière ce qui a été effacé. Des traces subsistent dans des registres et l'on ignore où ils sont cachés et quels gardiens veillent sur eux et si ces gardiens consentiront à vous les montrer. Ou peut-être ont-ils oublié tout simplement que ces registres existaient.

Il suffit d'un peu de patience.

Ainsi, j'ai fini par savoir que Dora Bruder et ses parents habitaient déjà l'hôtel du boulevard Ornano dans les années 1937 et 1938. Ils occupaient une chambre avec une cuisine au cinquième étage, là où un balcon de fer court autour des deux immeubles. Une dizaine de fenêtres, à ce cinquième étage. Deux ou trois donnent sur le boulevard et les autres sur la fin de la rue Hermel et, derrière, sur la rue du Simplon.

Ce jour de mai 1996 où je suis revenu dans le quartier, les volets rouillés des deux premières fenêtres du cinquième étage qui donnaient rue du Simplon étaient fermés, et devant ces fenêtres, sur le balcon, j'ai remarqué tout un amas d'objets hétéroclites qui semblaient abandonnés là depuis longtemps.

Au cours des deux ou trois années qui ont précédé la guerre, Dora Bruder devait être inscrite dans l'une des écoles communales du quartier. J'ai écrit une lettre au directeur de chacune d'elles en lui demandant s'il pouvait retrouver

son nom sur les registres:
8 rue Ferdinand-Flocon.
20 rue Hermel.
7 rue Championnet.
61 rue de Clignancourt.
Ils m'ont répondu gentiment. Aucun n'avait retrouvé ce nom dans les listes des élèves des classes d'avant-guerre. Enfin, le directeur de l'ancienne école de filles du 69 rue Championnet m'a proposé de venir consulter moi-même les registres. Un jour, j'irai. Mais j'hésite. Je veux encore espérer que son nom figure là-bas. C'était l'école la plus proche de son domicile.

[...]

Dora Bruder
Gallimard, 1997; rééd., coll. «Folio», 1999
[p. 13-14].

Accident nocturne

Le narrateur se souvient de ses vingt ans, d'Hélène Navachine, une brune aux yeux bleus.

[...]

Un après-midi, après sa leçon de piano, elle avait glissé sur une plaque de verglas et, en tombant, elle s'était blessée à la main. Une coupure la faisait saigner. Nous avons trouvé une pharmacie un peu plus bas. J'avais demandé du coton et, au lieu de l'alcool à 90°, un flacon d'éther. Je ne crois pas que c'était une erreur délibérée de ma part. Nous nous étions assis sur un banc, elle avait débouché le flacon et, au moment où elle imbibait le coton pour l'appliquer sur sa coupure, j'avais senti l'odeur de l'éther, si forte et qui m'était si familière depuis mon enfance. J'avais mis le flacon bleu dans ma poche, mais cette odeur flottait encore autour de nous. Elle imprégnait les chambres d'hôtel du quartier de la gare de Lyon où nous avions l'habitude d'échouer. C'était avant qu'elle ne rentre chez elle ou alors qu'elle venait m'y retrouver, vers neuf heures du soir. On ne demandait pas les papiers des clients à la réception de ces hôtels. Il y avait trop de passage, à cause de la proximité de la gare. Des clients qui ne resteraient pas longtemps dans les chambres et qu'un train allait bientôt emporter. Des ombres. On nous tendait une fiche où nous devions écrire nos noms et adresses, mais ils ne vérifiaient jamais si ces noms et ces adresses correspondaient à ceux d'un passeport ou d'une carte d'identité. C'était moi qui remplissais les fiches pour nous deux. En ai-je écrit des noms et adresses différents. Et, au fur et à mesure, je les notais sur une page d'agenda pour changer les noms la prochaine fois. Je voulais brouiller les pistes et les dates de naissance, car l'un et l'autre nous étions encore mineurs. J'ai retrouvé l'année dernière dans un vieux portefeuille la page où j'avais fait la liste de nos fausses identités.

Georges Accad	28, rue de la Rochefoucauld, Paris 9e.
Yvette Dintillac	75, rue Laugier
André Gabison	Calle Jorge Juan 17, Madrid
Jean-Maurice Jedlinsky et Marie-José Vasse	Casa Montalvo, Biarritz
Jacques Piche	Berlin, Steglitz, Orleanstrasse 2
Patrick de Terrouane	21, rue Berlioz, Nice
Suzy Kraay	Vijzelstraat 98, Amsterdam

[...]

Accident nocturne
Gallimard, 2003; rééd. coll. «Folio», 2005
[p. 63-64].

Un pedigree

Dans *Un pedigree*, Patrick Modiano fait l'inventaire des vingt premières années de sa vie à la manière d'un rapport de police. Il s'en explique dans ce passage.

[...]

En février 1957, j'ai perdu mon frère. Un dimanche, mon père et mon oncle Ralph sont venus me chercher au pensionnat, mon oncle Ralph qui conduisait s'est arrêté, il est sorti de la voiture, me laissant seul avec mon père. Dans la voiture, mon père m'a annoncé la mort de mon frère. Le dimanche précédent, j'avais passé l'après-midi avec lui, dans notre chambre, quai de Conti. Nous avions rangé ensemble une collection de timbres. Je devais rentrer au collège à cinq heures, et je lui avais expliqué qu'une troupe de comédiens jouerait pour les élèves une pièce dans la petite salle du théâtre du pensionnat. Je n'oublierai jamais son regard, ce dimanche-là.

À part mon frère Rudy, sa mort, je crois que rien de tout ce que je rapporterai ici ne me concerne en profondeur. J'écris ces pages comme on rédige un constat ou un curriculum vitae, à titre documentaire et sans doute pour en finir avec une vie qui n'était pas la mienne. Il ne s'agit que d'une simple pellicule de faits et gestes. Je n'ai rien à confesser ni à élucider et je n'éprouve aucun goût pour l'introspection et les examens de conscience. Au contraire, plus les choses demeuraient obscures et mystérieuses, plus je leur portais de l'intérêt. Et même, j'essayais de trouver du mystère à ce qui n'en avait aucun. Les événements que j'évoquerai jusqu'à ma vingt et unième année, je les ai vécus en transparence — ce procédé qui consiste à faire défiler en arrière-plan des paysages, alors que les acteurs restent immobiles sur un plateau de studio. Je voudrais traduire cette impression que beaucoup d'autres ont ressentie avant moi : tout défilait en transparence et je ne pouvais pas encore vivre ma vie.

[...]

Un pedigree
Gallimard, 2005; rééd., coll. «Folio», 2006
[p. 44-45].

86

Patrick Modiano, Quai Conti (2004).

©Gérard Rondeau. Agence Vu

109

Patrick Modiano (2001)

©Éditions Gallimard. Cliché Jacques Sassier

111

«Mon beau-père, l'architecte
Bernard Zehrfuss, avec ses
camarades des Beaux-Arts, fêtant
son prix de Rome devant Les Deux
Magots (1939).» (P. Modiano)

©Dr. Cliché Jean Vigne

112

«Les dessous du marché noir»,
page de *Trafics et crimes sous
l'occupation* de Jacques Delarue.
Document de Patrick Modiano.

©Librairie Arthème Fayard, 1968. Cliché Jean Vigne

113

«Je suis né le 30 juillet 1945 [...]»,
première page d'*Un pedigree* (2005).

©Éditions Gallimard, 2005

114

SOS Météores, Edgard P. Jacobs,
bas de p. 16. «Maison de
Jouy-en-Josas où j'habitais enfant,
en 1952.» (P. Modiano) ©2007 Éd. Blake &
Mortimer/Studio Jacobs n.v. (Dargaud-Lombard s.a.)
Patrick Modiano et son frère Rudy,
vers 1955.

©Dr. Cliché Jean Vigne

115

Patrick Modiano chez Gallimard,
années 1960.

©Éditions Gallimard. Cliché Jacques Sassier

116

La Place de l'Étoile, le premier
roman de Patrick Modiano, paraît
aux éditions Gallimard en 1968.

©Éditions Gallimard. Cliché Dr

117

«Et ce roman»: carte postale
de Raymond Queneau
à Patrick Modiano (29 mai 1969).

©Dr. Cliché Jean Vigne

Photo d'un portrait peint
de Maurice Chevalier dédicacée
à Patrick Modiano (1969)

©Dr. Cliché Jean Vigne

...

Les dessous du Marché noir

Le capitaine Wilhelm Radecke,
de l'Abwehr, l'un des principaux dirigeants
des bureaux d'achat.

«Michel» Szkolnikoff, le plus important fournisseur
des bureaux d'achat, et sa chienne Peggy.

Photographie anthropométrique de Szkolnikoff à Madrid
le 26 juin 1944. Ses empreintes digitales relevées le même jour
permirent l'identification de son cadavre calciné.

Je suis né le 30 juillet 1945, à Boulogne-Billancourt, 11 allée Marguerite, d'un juif et d'une Flamande qui s'étaient connus à Paris sous l'Occupation. J'écris juif, en ignorant ce que le mot signifiait vraiment pour mon père et parce qu'il était mentionné, à l'époque, sur les cartes d'identité. Les périodes de haute turbulence provoquent souvent des rencontres hasardeuses, si bien que je ne me suis jamais senti un fils légitime et encore moins un héritier.

Ma mère est née en 1918 à Anvers. Elle a passé son enfance dans un faubourg de cette ville, entre Kiel et Hoboken. Son père était ouvrier puis aide-géomètre. Son grand-père maternel, Louis Bogaerts, docker. Il avait posé pour la statue du docker, faite par Constantin Meunier et que l'on voit devant l'hôtel de ville d'Anvers. J'ai gardé

PATRICK MODIANO

LA PLACE
DE L'ÉTOILE

roman

GALLIMARD

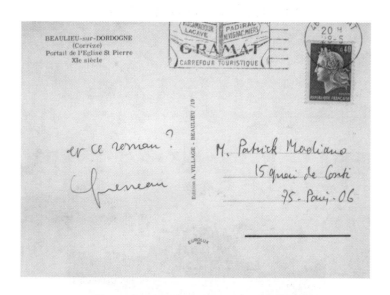

la boule . ~~produit~~ ~~...~~

D'après ~~que~~ j'avais ~~...~~ ~~comprendre~~ Ils ne voulaient

pas ~~attirer~~ ~~...~~ l'attention ~~ni~~ ~~peu~~ ~~par leur~~ visites

~~trop répétées, dans les casinos~~; Et c'est pourquoi il avaient

fini par se ~~réfugier~~ aux Forges-les-Eaux ~~où~~ ~~...~~ il

on les laissait ~~tran~~ où il se sentaient en sécurité; je ~~n'ai~~

~~jamais su bien compris pourquoi~~

Je ne les ai jamais accompagné dans ces

endroits. ~~...~~

~~...~~ je les attendais

~~le lundi~~, jusqu'au lundi, sans quitter le quartier.

Puis, au bout d'un certain temps, Van Bever

allait ~~...~~ à "Forges" — selon son expression

~~car~~ c'était moins loin que ~~...~~ que Bagnoles de l'Orne.

Jacqueline restait ~~avec moi~~ à Paris.

Au cours de quelques nuits que j'avais passées dans

leur chambre, ~~...~~ il flottait toujours

~~particulière~~ ~~sauf~~ cette ~~...~~ odeur d'éther . le

flacon bleu était ~~dans~~ ~~la table de nuit~~ rangé

sur l'étagère du lavabo. ~~Quelques~~ vêtements ~~...~~

~~rangés dans le placard~~ ~~...~~ une robe d'hiver,

~~un pantalon, un soutien~~ ~~...~~ ~~...~~

~~étaient~~, ~~avec le flacon d'éther~~ ~~...~~

~~que portait Jacqueline~~, ~~...~~

~~...~~ signe de leur retour éventuel. ~~mais~~

je finissais par me demander s'ils reviendraient

Patrick Modiano
Dora Bruder

Patrick Modiano
Des inconnues

Patrick Modiano
Accident nocturne

PATRICK MODIANO

DANS LE CAFÉ
DE LA
JEUNESSE PERDUE

roman

nrf

GALLIMARD

...

118

Hammamet, 1970. «Jusqu'en 1971,
longs séjours à Rome et en Tunisie
avec DominiqueZ.» (P. Modiano)

©Dr. Cliché Jean Vigne

119

Du plus loin de l'oubli, feuillet
manuscrit.
Le livre sera publié en 1996.

©Dr. Cliché Jean Vigne

120

Dora Bruder avec ses parents,
Cécile et Ernest Bruder (photo
extraite du *Mémorial des enfants
juifs déportés de France*
de Serge Klarsfeld, Librairie
Artheme Fayard, 2003).
Document de Patrick Modiano.

©Fayard. Cliché Jean Vigne

121

Dora Bruder (1997,
ici en collection «folio»)

©Éditions Gallimard. Cliché Jean Vigne

Portrait de Tristan Eglof,
l'auteur du *Seigneur des porcheries*.

©Dr. Cliché Jean Vigne

Des inconnues (1999,
ici en collection «folio»)

©Éditions Gallimard. Cliché Jean Vigne

Accident nocturne (2003,
ici en collection «folio»)

©Éditions Gallimard. Cliché Jean Vigne

122

Dans le café de la jeunesse perdue
(2007)

©Éditions Gallimard. Cliché Dr

124

Chronologie établie par
Patrick Modiano, manuscrit (2007).

©Dr

128

«Carte d'accréditation
de mon chien Douglas au festival
de Cannes.» (P. Modiano)

©Dr. Cliché Jean Vigne

1945 30 Juillet. Naissance à Boulogne - Billancourt,
11 allée Marguerite.

1947 7 octobre. Naissance de son frère Rudy.

1949 Habite avec son frère à Biarritz, sans leurs
parents.

1950 septembre. Est baptisé avec son frère, en l'église St Martin de Biarritz, en l'absence de leurs parents.

1950 octobre. Première rentrée des classes à l'Institution Ste Marie de Biarritz.

1951 Retour à Paris avec son frère.

Chronologie établie par Patrick Modiano

[nous ne lui avons adjoint que certains titres entre crochets]

1945

30 juillet: naissance à Boulogne-Billancourt, 11 allée Marguerite.

1947

5 octobre: naissance de son frère Rudy.

1949

Habite avec son frère à Biarritz, sans leurs parents.

1950

Septembre: est baptisé avec son frère, en l'église St Martin de Biarritz, en l'absence de leurs parents.

Octobre: première rentrée des classes à l'institution Ste Marie de Biarritz.

1951

Retour à Paris, 15 quai Conti, avec son frère.

1952

Ils sont confiés à des amies de leur mère dans une maison de Jouy-en-Josas, 38 rue du Docteur Kurzenne.

Élève de l'école Jeanne-d'Arc et de l'école communale de Jouy-en-Josas.

1953

Février: retour à Paris. Élève de l'école communale de la rue du Pont-de-Lodi jusqu'en juin 1956.

1956

Séjour en Suisse avec une amie de leur père, Nathalie E.

Octobre: pensionnaire à l'école du Montcel, à Jouy-en-Josas jusqu'en juin 1960.

1957

29 janvier: mort de son frère Rudy.

1960

18 janvier: fugue très brève du pensionnat. Renvoi du pensionnat.

Août:Fugue à Londres.

Septembre: pensionnaire au collège St-Joseph de Thônes, en Haute-Savoie, jusqu'en juin 1962.

1962

Juin: passe son premier baccalauréat à Annecy.

1963

Juin: échoue à son second baccalauréat.
Raymond Queneau, dont il a fait la connaissance, l'emmène au cocktail d'été de la maison Gallimard.

1964

Juin: obtient son second baccalauréat.
Septembre: rentrée des classes au lycée Michel-de-Montaigne de Bordeaux où son père l'a inscrit, à son insu, en hypokhâgne.
S'enfuit le soir même à Paris.

1965

Séjour à Vienne, en Autriche, où il cherche vainement du travail.
Commence à écrire son premier livre.

1966

Travaille comme documentaliste aux Productions cinématographiques Carlo Ponti, notamment sur un projet d'adaptation au cinéma de *La Condition humaine*, de Malraux.

1967

Juin: son premier livre est accepté chez Gallimard.

1968

5 avril: parution de *La Place de l'Étoile*.

1969

Septembre: parution de son second livre, *La Ronde de nuit*.

1970

Janvier: fait la connaissance de Dominique Z. dans un restaurant des Champs-Élysées.
Septembre: mariage avec Dominique Z. Les témoins sont André Malraux et Raymond Queneau.
Jusqu'en 1971, longs séjours à Rome et en Tunisie avec Dominique Z.
À Paris, ils habitent Montmartre.

1972

Rome.
Travaille avec Louis Malle au scénario de Lacombe Lucien.
[*Les Boulevards de ceinture*, Grand Prix du roman de l'Académie française.]

1974

Naissance de sa fille Zina.
[*Villa triste*, 1975; *Livret de famille*, 1977.]

1978

1er septembre: naissance de sa fille
Marie.

Novembre: prix Goncourt pour *Rue
des boutiques obscures*.

1981

Août: retrouve, avec Dominique Z.,
Londres, qu'il n'avait pas revu
depuis sa fugue d'août 1960.

[*Une jeunesse; De si braves garçon*s,
1982; *Poupée blonde*, 1983.]

1984

Amsterdam. Baden-Baden.
Londres.

[*Quartier perdu*.]

1985

Parution d'*Une aventure de Choura*,
écrit en collaboration avec
Dominique Z.

[*Dimanches d'août*, 1986.]

Écrit *Remise de Peine*, où il évoque
une période de son enfance.

1988

Lit dans un *Paris-Soir*
de décembre 1941 un avis de
recherche concernant une jeune
fille, Dora Bruder.

[*Vestiaire de l'enfance*, 1989;
Voyage de noces, 1990; *Fleurs de ruine*,

1991; *Un cirque passe*, 1992;
Chien de printemps, 1993.]

1994

Écrit «*Les chiens de la rue du Soleil*»
en collaboration avec sa fille Zina.

1996

Londres.

[*Du plus loin de l'oubli*.]

1997

Avril: parution de *Dora Bruder*.

1998

Apporte chez Gallimard
le manuscrit du premier roman
d'un jeune écrivain américain,
Tristan Egolf: *Le Seigneur
des porcheries*.

[*Des inconnues*, 1999.]

2000

Le Grand Prix de littérature
Paul-Morand lui est décerné
pour l'ensemble de son œuvre.

[*La Petite Bijou*, 2001; *Accident
nocturne*, 2003.]

2005

Parution de *Un pedigree*.

[*Dans le café de la jeunesse perdue*,
2007.]

CANNES2000

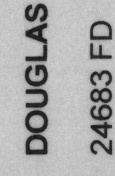

DOUGLAS

24683 FD

Direction Festival

Œuvres de Patrick Modiano

Romans

. *Accident nocturne*
Paris, Gallimard, coll. «Blanche», 2003
ISBN 978-2-07-073455-9; rééd., coll. «Folio», 2005
ISBN 978-2-07-03063-81

. *Les Boulevards de ceinture*
Paris, Gallimard, coll. «Blanche», 1972
ISBN 978-2-07-028340-8; rééd., coll. «Folio», 1978
ISBN 978-2-07-037033-7

. *Chien de printemps*
Paris, Éd. du Seuil, coll. «Cadre rouge», 1993
ISBN 978-2-02-012897-1; rééd., coll. «Points roman», 1995
ISBN 978-2-02-025260-7

. *Dans le café de la jeunesse perdue*
Paris, Gallimard, coll. «Blanche», 2007
ISBN 978-2-07-078606-0

. *De si braves garçons*
Paris, Gallimard, coll. «Blanche», 1982
ISBN 978-2-07-023647-3; rééd., coll. «Folio», 1987
ISBN 978-2-07-037811-1

. *Des inconnues*
Paris, Gallimard, coll. «Blanche», 1999
ISBN 978-2-07-075493-9; rééd., coll. «Folio», 2000
ISBN 978-2-07-041276-1

. *Dimanches d'août*
Paris, Gallimard, coll. «Blanche», 1986
ISBN 978-2-07-070759-1; rééd., coll. «Folio», 1989
ISBN 978-2-07-038130-2

. *Dora Bruder*
Paris, Gallimard, coll. «Blanche», 1997
ISBN 2-07-074898-7; rééd., coll. «Folio», 1999
ISBN 2-07-040848-5;
coll. «La bibliothèque Gallimard», 2004
ISBN 978-2-07-031505-3

. *Du plus loin de l'oubli*
Paris, Gallimard, coll. «Blanche», 1996
ISBN 978-2-07-074412-1; rééd., coll. «Folio», 1997
ISBN 978-2-07-040299-1

. *Fleurs de ruine*
Paris, Éd. du Seuil, coll. «Cadre rouge», 1991
ISBN 978-2-02-012450-8; rééd., coll. «Points roman», 1992
ISBN 978-2-02-025914-9

. *Livret de famille*
Paris, Gallimard, coll. «Blanche», 1977
ISBN 978-2-07-029683-5; rééd., coll. «Folio», 1981
ISBN 978-2-07-037293-5

. *La Petite Bijou*
Paris, Gallimard, coll. «Blanche», 2001
ISBN 978-2-07-076227-9; rééd., coll. «Folio», 2002
ISBN 978-2-07-042538-9

. *La Place de l'Étoile*

[préface de Jean Cau]

Paris, Gallimard, coll. «Blanche», 1968; nouv. éd. revue et corrigée, 1985

ISBN 978-2-07-027213-6; rééd., coll. «Folio», 1975

ISBN 978-2-07-036698-9

. *Poupée blonde*

[en collaboration avec Pierre Le-Tan]

Paris, POL, 1983

ISBN 978-2-86-744010-6; rééd., Paris, J'ai lu, coll. «Littérature générale», 2001

ISBN 978-2-27-721788-6

. *Quartier perdu*

Paris, Gallimard, coll. «Blanche», 1984

ISBN 978-2-07-070291-6; rééd., coll. «Folio», 1988

ISBN 978-2-07-037942-2

. *Remise de peine*

Paris, Éd. du Seuil, coll. «Cadre rouge», 1987

ISBN 978-2-02-009959-2; rééd., coll. «Points roman», 1989

ISBN 978-2-02-029155-2

. *Remise de peine, Fleurs de ruine, Chien de printemps*

[édition limitée, revue et augmentée, postface de Nadia Butaud]

Paris, Éd. du Seuil, coll. «Points», 2007

ISBN 978-2-7578-0630-2

. *La Ronde de nuit*

Paris, Gallimard, coll. «Blanche», 1969

ISBN 978-2-07-027214-3; rééd., coll. «Folio», 1976

ISBN 978-2-07-036835-8

. *Rue des boutiques obscures*
Paris, Gallimard, coll. «Blanche», 1978
ISBN 978-2-07-028383-5; rééd., coll. «Folio», 1982
ISBN 978-2-07-037358-1

. *Un cirque passe*
Paris, Gallimard, coll. «Blanche», 1992
ISBN 978-2-07-072771-1; rééd., coll. «Folio», 1994
ISBN 978-2-07-038927-8

. *Un pedigree*
Paris, Gallimard, coll. «Blanche», 2005
ISBN 978-2-07-077333-6; rééd., coll. «Folio», 2006
ISBN 978-2-07-032102-5

. *Une jeunesse*
Paris, Gallimard, coll. «Blanche», 1981
ISBN 978-2-07-023231-4; rééd., coll. «Folio plus», 1995
ISBN 978-2-07-039411-1

. *Vestiaire de l'enfance*
Paris, Gallimard, coll. «Blanche», 1989
ISBN 978-2-07-071375-2; rééd., coll. «Folio», 1991
ISBN 978-2-07-038364-1

. *Villa triste*
Paris, Gallimard, coll. «Blanche», 1975
ISBN 978-2-07-029204-2; rééd., coll. «Folio», 1977
ISBN 978-2-07-036953-9

. *Voyage de noces*
Paris, Gallimard, coll. «Blanche», 1990, ISBN 978-2-07-071980-8;
rééd., coll. «Folio», 1992, ISBN 978-2-07-038454-9

Nouvelles

. «1, rue Lord-Byron»
Le Nouvel Observateur, décembre 1978
ISSN 0029-4713

. «Courrier du cœur»
Cahiers du chemin, janvier 1974, n°20,
ISSN 0008-0101; repris sous le titre de «Lettre d'amour»
Paris-Match, 1ᵉʳ décembre 1978
ISSN 0397-1635

. «Docteur Weiszt»
[première version du chapitre VII de *De si braves garçons*]
Le Monde du dimanche, 16 septembre 1979

. «Éphéméride»
Le Monde, supplément du 30 juin 2001;
Paris, Mercure de France, coll.«Le petit Mercure», 2002
ISBN 978-2-7152-2322-6

. «Johnny»
La Nouvelle Revue française, août 1978, n°307
ISSN 0029-4802

. «Memory Lane»
La Nouvelle Revue française, novembre 1980, n°334;
Paris, Hachette littératures, 1981
ISBN 978-2-01-008091-3,
rééd., Paris, Éd. du Seuil, coll.«Points roman», 1983
ISBN 978-2-02-006461-3

. «Mes vingt ans»
Vogue, décembre 1983
ISSN 0750-3628

. «Polar à huit mains: ‹L'Angle mort›: chapitre III»
L'Événement du jeudi, juillet 1991
ISSN 0765-412X

. «La Seine»
La Nouvelle Revue française, juin 1981, n°341
ISSN 0029-4802,
repris dans *3 Nouvelles contemporaines*
[suivi du «Jour du président» de Marie NDiaye et de «Pourquoi?»
d'Alain Spiess]
Paris, Gallimard, coll. «La bibliothèque Gallimard», 2006
ISBN 978-2-07-033718-7

Textes et albums jeunesse

. *Catherine Certitude*
[illustrations de Sempé]
Paris, Gallimard jeunesse, 1988
ISBN 978-2-07-056423-1; rééd., coll. «Folio», 2005
ISBN 978-2-07-030731-9

. «Les chiens de la rue du Soleil»
Raconte-moi la vie. Neuf contes inédits
[suivi de contes de Jean-Marie Gustave Le Clézio, Bernard Clavel, Claude
Roy, Jeanne Bourin, Tahar Ben Jelloun, Alexandre Jardin, Régine Deforges
et Erik Orsenna, contes lus par Nathalie Baye]
Paris, Disney-Hachette, 1994, 2 CD
ISBN 978-2-23-000437-9

. *Une aventure de Choura*
[illustrations de Dominique Zehrfuss]
Paris, Gallimard jeunesse, 1986
ISBN 978-2-07-056294-7

. *Une fiancée pour Choura*
[illustrations de Dominique Zehrfuss]
Paris, Gallimard jeunesse, 1987
ISBN 978-2-07-056356-2

Ouvrages illustrés

. *28 Paradis*
[illustrations de Dominique Zehrfuss]
Paris, Éd. de l'Olivier, 2005
ISBN 978-2-87929-484-1

. *Dieu prend-il soin des bœufs?*
[en collaboration avec Gérard Garouste]
Paris, Éd. de l'Acacia, 2003
ISBN 2-9520853-0-7

. *Elle s'appelait Françoise...*
[en collaboration avec Catherine Deneuve]
Paris, Canal+ éditions, 1996
ISBN 978-2-226-08838-3

. *Paris tendresse*
[photographies de Brassaï]
Paris, Hoëbeke, 1990; réimp. 2000
ISBN 978-2-905292-32-2

. «Villes du sommeil»

[textes de Modiano sur des illustrations de Pierre Le-Tan]

Épaves et débris sur la plage

Paris, Le Promeneur, 1993

ISBN 978-2-07-073686-7

Livres audio

. *Dora Bruder*

[lecture de Didier Sandre]

Paris, Gallimard, coll. «Écoutez lire», 2 CD, 2006

ISBN 2-07-077484-8

. *La Petite Bijou*

[lecture de Valérie Karsenty, Anne-Marie Joubert, Olivier Chauvel,

Patrick Liegibel, Élisa Servier, Stéphane Vasseur et Nicole Evans]

Paris, Gallimard, coll. «Écoutez lire», 3 CD, 2004

ISBN 2-07-042538-x

Interview, préfaces et postfaces

. *Interrogatoire par Patrick Modiano* suivi de *Il fait beau allons au cimetière*

[interview d'Emmanuel Berl, préface et postface de Patrick Modiano]

Paris, Gallimard, 1976

ISBN 978-2-07-029579-1; rééd., coll. «Témoins»

ISBN 978-2-07-072427-7

Rilke Rainer Maria

. *Les Cahiers de Malte Laurids Brigge*
  Paris, Éd. du Seuil, coll. «Points», 1980

Cocteau Jean

. *Le Livre blanc*, Paris, Éd. de Messine, coll. «Pierre Bergé», 1983
  isbn 978-2-86409-011-3

Aymé Marcel

. *Le Nain. Derrière chez Martin. Le Passe-Muraille.*
  Le Vin de Paris. En arrière
  Paris, Gallimard, coll. «Biblos», 1989
  isbn 978-2-07-071429-2

Karina Anna

. *Jusqu'au bout du hasard*
  Paris, Grasset, 1998
  isbn 978-2-246-55971-9

Roth Joseph

. *Automne à Berlin*
  Paris, La Quinzaine littéraire/Louis Vuitton,
  coll. «Voyager avec...», 2000
  isbn 978-2-91049-110-9

Berr Hélène

. *Journal d'Hélène Berr*
  Paris, Tallandier, 2008
  isbn 978-284734-500-1

. *Lacombe Lucien*, film français de Louis Malle, scénario,
dialogues et adaptation Louis Malle et Patrick Modiano, 1974
[Paris, Gallimard, coll. «Blanche», 1974
ISBN 978-2-07-028989-9].

. *Madame le juge*, série télévisée policière de six épisodes;
Patrick Modiano a écrit le scénario de l'épisode intitulé *L'Innocent*, 1975.

. *L'Équipage*, adaptation du livre de Joseph Kessel pour la télévision, 1977.

. *Le Fils de Gascogne,* téléfilm de Pascal Aubier, France 2, mai 1995.

. *Bon voyage*, de Jean-Paul Rappeneau, 2003.

Films adaptés de romans de Patrick Modiano

. *Une Jeunesse*, Moshe Mizrahi, 1983.

. *Le Parfum d'Yvonne*, Patrice Leconte, 1994.

. *Te Quiero*, Manuel Poirier, 2001.

Patrick Modiano a également écrit de nombreuses chansons, dont,
parmi celles signées et écrites avec H. de Courson, «Étonnez-moi Benoît»,
chantée par Françoise Hardy.

Enfin, il est l'auteur d'une pièce de théâtre, *La Polka* (non publiée), qui a été
montée par Jacques Mauclair au théâtre du Gymnase, à Paris, en mai 1974.

Ouvrages sur l'œuvre de Patrick Modiano

AVNI Ora
. *D'un passé l'autre: aux portes de l'histoire avec Patrick Modiano*
  Paris, L'Harmattan, coll. «Critiques littéraires», 1997
  ISBN 978-2-7384-5175-0

BEDNER Jules (textes réunis par)
. *Patrick Modiano*
  Amsterdam/Atlanta, Rodopi,
  coll. «Cahiers de recherche interuniversitaires néerlandaises», 1993
  ISBN 978-90-5183-534-2

CIMA Denise
. *Étude sur Patrick Modiano: La Ronde de nuit*
  Paris, Ellipses, coll. «Résonances», 2000
  ISBN 978-2-7298-0000-0

COOKE Dervila
. *Present Pasts. Patrick Modiano's (Auto)Biographical Fictions*
  Amsterdam/New York, Rodopi, coll. «Faux titre», 2005
  ISBN 978-90-420-1884-6

DOLFI Anna
. *Identità, alterità doppio nella letteratura moderna*
  Rome, Universita degli studi di Firenze dipartimento di Italianistica/
  Bulzoni Editore, coll. «Studi e testi», 2001
  ISBN 88-8319-649-x

Doucey Bruno

.　*La Ronde de nuit: Modiano*
　　Paris, Hatier, coll. «Profil littérature», 1992
　　isbn 978-2-218-04725-1; rééd., 2001
　　isbn 978-2-218-73775-6

Gellings Paul

.　*Poésie et mythe dans l'œuvre de Patrick Modiano: le fardeau du nomade*
　　Paris/Caen, Lettres modernes Minard, coll. «Situation», 2000
　　isbn 978-2-256-91014-2

Guyot-Bender Martine

.　*Mémoire en dérive: poétique et politique de l'ambiguïté chez Patrick Modiano*
　　de «Villa triste» *à* «Chien de printemps »
　　Paris/Caen, Lettres modernes Minard,
　　coll. «Archives des lettres modernes», 1999
　　isbn 978-2-256-90470-7

Guyot-Bender Martine et Vanderwolk William (textes réunis par)

.　*Paradigms of Memory: The Occupation and Other*
　　Hi/Stories in the Novels of Patrick Modiano
　　New York, Peter Lang Publishing, coll. «Currents in comparative
　　romance languages and literatures», 1998
　　isbn 978-0-8204-3864-1

Laurent Thierry

.　*L'Œuvre de Patrick Modiano: une autofiction*
　　Lyon, Presses universitaires de Lyon, 1997
　　isbn 978-2-7297-0574-9

Morris Alan
. *Patrick Modiano*
Amsterdam/Atlanta, Rodopi, «Collection monographique
en littérature française contemporaine», 2000
ISBN 978-90-420-1361-2

Nettelbeck Colin et Hueston Penelope
. *Patrick Modiano, pièces d'identité. Écrire l'entretemps*
Paris/Caen, Lettres modernes Minard,
coll. «Archives des lettres modernes», 1986
ISBN 978-2-256-90413-4

Parrochia Daniel
. *Ontologie fantôme. Essai sur l'œuvre de Patrick Modiano*
Fougères, Encre Marine, 1996
ISBN 978-2-909422-19-0

Studio EV/PC, graphisme

Imprimerie Corlet, impression

tirage 12500 exemplaires

mars 2008

CULTURESFRANCE est opérateur

du ministère des Affaires étrangères et européennes

et du ministère de la Culture et de la Communication.

Président Jacques Blot

Directeur Olivier Poivre d'Arvor

DÉPARTEMENT DES PUBLICATIONS ET DE L'ÉCRIT

Directeur Paul de Sinety

Collection dirigée par Nicolas Peccoud

ÉDITIONS TEXTUEL

Présidente Marianne Théry

INA

Président Emmanuel Hoog

Responsable des éditions Roei Amit

Archives-phonothèque Béatrice Montoriol

Radioscopie **Patrick Modiano,** 1972

Patrick Modiano / Jacques Chancel

Entretien enregistré et diffusé le 17 novembre 1972 sur France Inter (©Ina 1972)

45 minutes d'entretien au cours desquelles le jeune Patrick Modiano se dévoile: ses origines, sa vocation littéraire, les sentiments qui dominent dans ses livres, ses personnages, l'image du père, ses auteurs favoris, mais aussi son insatisfaction, les causes de son désintérêt pour la politique...

Jacques Chancel

«25 ans, 1 m 98, 90 kilos, trois livres, trois livres importants à cet âge-là, 25 ans: *La Place de l'Étoile, La Ronde de nuit, Les Boulevards de ceinture,* le dernier. Des prix, des honneurs, et une consécration redoutable, très récente: grand prix du Roman de l'Académie française. Une obsession dans votre vie, Patrick Modiano: la Seconde Guerre mondiale et, très précisément, l'Occupation. Mais, cette Occupation vous ne l'avez pas connue, alors pourquoi voulez-vous sans cesse la ressusciter?»

Patrick Modiano

«Oh c'est plutôt... c'est pas tout à fait l'Occupation du point de vue historique... c'est plutôt... je m'inspire de l'Occupation pour décrire un espèce de climat trouble...»

[...]

L'Ina, l'Institut national de l'audiovisuel

Première banque mondiale d'archives
numérisées, l'Institut national
de l'audiovisuel conserve, depuis
1974, les archives télévisées et
radiophoniques des sociétés nationales
de programmes.

En 1992, la mission de dépôt légal
de la radio et de la télévision
lui a été confiée. Outre son action
de collecte, de sauvegarde, de
restauration et de commercialisation
des archives audiovisuelles,
l'Ina est également un laboratoire de
recherche qui développe de nouvelles
technologies telles que « Signature »,
procédé technique de gestion légale et
de protection des contenus sur le web.

C'est également le premier centre
européen de formation professionnelle
et depuis octobre 2007, Ina'Sup,
l'école supérieure de l'audiovisuel et
du numérique, propose 2 masters :
Production et Patrimoines audiovisuels
et numériques.

L'institut produit des documentaires
et développe une politique
de valorisation du fonds à des fins
culturelles et éducatives.

Depuis février 2004, l'Ina propose
aux professionnels un service unique
au monde sur inamediapro.com,
première banque mondiale d'archives
audiovisuelles numérisées
et accessibles en ligne.

Enfin, depuis avril 2006, le grand
public a un accès direct, en simple
consultation ou en téléchargement,
à plus de 100 000 émissions
de télévision et de radio sur ina.fr.

Cette offre s'est étendue au domaine
pédagogique avec Apprendre, un outil
éducatif audiovisuel en ligne.